Brigitte Blobel

Drama Prinses

Standaard Uitgeverij

© 2008 by Arena Verslag GmbH, Würzburg, Germany, through International Literature Bureau b.v.
Original title: *Drama Princess*
© 2010 Standaard Uitgeverij
Standaard Uitgeverij nv, Mechelsesteenweg 203, B-2018 Antwerpen
www.standaarduitgeverij.be

Vertaling: Emmy Middelbeek
Vormgeving binnenwerk: Crius Group, Hulshout, België
Omslagbeeld: Patricia De La Rose © Getty Images

ISBN 978 90 02 23000 4
D/2010/0034/421
NUR 284

1

De bikini met het rood-witte bloempatroon draagt Amelie vandaag voor het eerst. Ze draagt trouwens voor de allereerste keer een bikini. Ze heeft hem van haar eigen geld gekocht: elke woensdagavond past ze op de kleine Benthe Meulemans, een monster van twee dat in een kwartier een opgeruimde kamer kan veranderen in een zwijnenstal.
De bikini kostte twee avonden babysitten bij Meulemans. Ze heeft hem gekocht in de nieuwe boetiek *Ana Bella* in het oude centrum. Ze heeft haar moeder en ook haar zus Mirjam niet meegenomen. Want Mirjam weet altijd alles beter. Ze gedraagt zich voortdurend als de grote zus, die op 'het kleintje' moet passen. Ze weet precies wat voor zwemkleding Mirjam uitgezocht zou hebben: weer zo'n superpraktische *swimsuit* van lycra, met een iets lagere rug en van voren hoog gesloten, zo'n ding dat je armvrijheid garandeert bij het crawlen. Mirjam is de kei van de plaatselijke zwem- vereniging; ze is de ster. Misschien dat Amelie het daarom na een jaar heeft opgegeven: omdat ze niet altijd met haar geweldige, oudere zus vergeleken wilde worden. Maar ze had ook niet zoveel op met de mensen van de zwemvereniging of met de training die er werd gegeven. 'Het lijkt wel een

kazerne', had ze gezegd. 'Daar krijgen ze me met geen tien paarden meer naartoe.'

Haar moeder mocht ook niet mee naar *Ana Bella* om de bikini uit te zoeken. Amelie wilde nu eindelijk wel eens in het zwembad rondlopen zoals ze zelf graag wilde. En niet zoals de rest van het gezin dat wil.

En nu is het dus gelukt. Amelie ligt in haar rood-wit gekleurde bikini in het natuurbad, op het nieuwe houten ponton dat in het voorjaar te water gelaten is, en laat de zon op haar bleke buik schijnen. Haar armen en benen zijn al heel bruin, haar schouders en haar rug ook. Alleen haar buik en haar heupen zijn wit.

'Ik kom niet meer van mijn plaats,' zucht Amelie, 'tot mijn buik net zo bruin is als mijn benen.'

Judith lacht. 'Jij bent gek!'

'Waarom?' vraagt Amelie. 'Ik schaam me dood als de mensen merken dat ik voor het eerst van mijn leven een bikini aan heb. Dat is toch ongelooflijk gênant.'

Judith ligt op haar buik aan de rand van het ponton, schept met haar hand wat water, kruipt op haar buik naar Amelie en laat het water langzaam op Amelies buik druppelen.

Amelie schiet overeind. 'Joh, ben je gek? Ik kan wel een hartaanval krijgen!'

Judith lacht. 'Je krijgt eerder een zonnesteek als je daar zo doodstil blijft liggen. Kom, wie het eerst bij de boei is.' Ze wijst naar een rode boei die aan een wit bootje vastgemaakt is. Met een elegante duik ligt Judith in het water.

'Hé!' roept Amelie. 'Wacht! Dat is niet eerlijk!' Ze spurt achter haar aan, zoals altijd met trappelende benen.

Even later duikt haar hoofd op naast Judith. 'We gaan!'

Judith is Amelies beste vriendin. Ze is een jaar geleden

bij Amelie in de klas gekomen, omdat haar ouders van de andere kant van het land hierheen zijn verhuisd. De klassenleraar had Amelie gevraagd de stof die Judith niet kende met haar door te nemen en zo zijn de meisjes bevriend geraakt. Judith is klein en stevig, ze heeft dikke bruine krullen, heel veel zomersproeten op haar schouders en haar neus en ze heeft de grootste borsten van de klas.

Judith haat haar borsten, maar dat kan Amelie niet begrijpen. Als Judith wist hoe erg het is als alle meisjes van je klas al borsten hebben maar jij niet, dan zou ze wel anders praten. De bandjes van haar bovenstukje glijden steeds weer van haar schouders. Elke keer weer moet Amelie ze over haar schouders terugduwen. Dat werkt op haar zenuwen. En bovendien kost het tijd. Judith heeft een voorsprong van minstens vijf meter. Nog even en het is tien meter. Als ze de boei aantikt en zich omdraait, heeft Amelie al lang opgegeven. Ze ligt lui in het water en doet of ze dood is. Dat is typisch iets voor Amelie. Als ze merkt dat ze gaat verliezen, heeft ze meteen geen zin meer. Daardoor is ze bij heel wat klasgenoten minder populair, vroeger ook al. Op de basisschool wilde niemand spelen met een meisje dat niet tegen haar verlies kan.

Amelie weet dat en ze wil wel anders, maar het lukt haar niet. Als kind speelde ze vaak alleen, het liefst met haar barbiepoppen. Ze heeft een hele verzameling barbiepoppen en twee koffers vol kleren en toebehoren. Die heeft ze, nu ze bijna vijftien is, natuurlijk heel ver achter in haar kast gestopt. Misschien geeft ze de barbies later wel aan haar nichtje. Als haar zus ooit moeder wordt. Gekke gedachte. Judith crawlt lachend terug naar Amelie. 'Wat is er?' vraagt ze en spettert water in Amelies gezicht.

'Ik kreeg kramp', jokt Amelie. Ze wil niet zeggen dat de bikinibandjes op haar zenuwen werken. Ze moet opeens denken aan de verkoopster in de boetiek. 'Je moet een kleinere cup hebben', zei ze. Heel hard. Zodat iedereen het kon horen. Ze had het gevoel gehad dat ze in de dierentuin was. Iedereen keek naar haar borsten. En ze was vuurrood geworden. Net als toen ze voor het eerst tampons wilde kopen en er een jonge knul achter de kassa stond. Toen was ze van schaamte ook het liefst in de grond gezakt.

Maar Amelie werkt eraan om niet meer elke keer zo rood te worden. En ooit gaat het een keer lukken.

'In het water', zegt Judith, die nu om Amelie heen zwemt, 'lijkt je buik nog witter dan boven water.'

'Echt?' roept Amelie ontdaan. Ze kijkt naar haar buik.

Judith heeft gelijk: het is een echte lijkkleur. 'Ik zwem terug!' roept ze.

Maar het ponton is nu bezet. Er zit een knul in kleermakerszit. Hij speelt met een camera. Hij is ongeveer midden twintig, heeft zwart, heel kortgeknipt haar, in zijn linkeroor een zilveren vis en op zijn rechteronderarm een tattoo. Wat het precies is, kan Amelie niet zien. Knullen die er ouder uitzien dan twintig, interesseren haar trouwens niet.

Ze houdt zich vast aan het ijzeren trapje dat naar het ponton leidt en kijkt de knul aan. Soms denkt Amelie dat ze mensen gewoon met een boze blik kan wegjagen. Maar deze knul is uit ander hout gesneden. 'Hi', zegt hij vriendelijk en schuift een stukje naar de hoek. 'Het water is zeker nog wel koud, hè? Het is zo lang rotweer geweest.'

Amelie glimlacht niet. Ze houdt nog altijd de sporten van het trapje vast. Alleen haar hoofd steekt boven het ponton uit. 'Eigenlijk lagen wij daar', zegt ze. Ze wijst naar de bril en de snorkel van Judith. 'Dat zijn onze spullen.'

De knul grinnikt. 'Ik wilde ze niet jatten, hoor. Is dit een privéplek?'

'Ja', jokt Amelie.

Judith, die zich gewoon op het ponton trekt, lacht. 'Kom op, Amelie, nu overdrijf je. Dat ding is toch van het bad.'

Ze zet de duikbril op en probeert door de glinsterende waterdruppels naar de lucht te kijken. 'Wauw!' roept ze. 'Dat is mooi!'

'Mag ik ook eens kijken?' De knul legt zijn camera weg. Judith neemt de duikbril van haar neus en overhandigt hem aan de jongen. Amelie hangt nog altijd in het water. De knul heeft gelijk. Omdat het in juni en begin juli zo veel geregend heeft, is het water nog altijd niet echt lekker warm. Ze voelt hoe haar kuiten ijskoud worden en hoe die kou langzaam naar haar tenen trekt.

Judith en de knul zitten nu in kleermakerszit naast elkaar. Hij heeft de duikbril opgezet en houdt zijn gezicht naar de zon gekeerd.

'Een regenboog!'

Judith knikt enthousiast. 'Dat zei ik toch.'

'De kleuren van het spectrum', zegt de knul. 'Te gek.'

Hij vist naar zijn camera en rommelt ermee. Dan houdt hij hem voor de duikbril, tegen de zon in. 'Kun je hem zo tegen het licht houden?' vraagt hij aan Judith.

'Tuurlijk', zegt Judith. 'Doe ik.'

'En wat moet dat worden als het klaar is?' vraagt Amelie nijdig. Ze moet oppassen dat haar tanden niet klapperen als ze praat. Ze voelt de kou nu al in haar heupen en buik. Het lijkt wel of de kou door haar navel zo haar lichaam binnendringt.

'Wat denk je?' vraagt de knul. 'Een foto. Een te gekke duikbrilfoto.'

'Kom toch eens uit het water!' Judith kijkt even naar Amelie. 'Je bevriest.'

'Zo snel bevriest een mens niet', zegt de knul onaangedaan. Dat irriteert Amelie. Hij fotografeert ononderbroken die stomme duikbril tegen het licht en Judith doet of ze hem al eeuwen kent en niets beters te doen heeft dan steeds weer water in de bril te scheppen om steeds nieuwe effecten en spectrale kleuren en wat nog meer te maken.

Omdat ze haar hun rug toedraaien, besluit Amelie dan toch eindelijk uit het water te komen. Ze zou ook meteen naar de kant kunnen zwemmen, maar het voelt een beetje stom om haar vriendin met een onbekende knul alleen te laten. Dat zou lijken of ze jaloers is. Of alsof het haar koud laat als Judith opeens in de problemen komt. Amelies moeder heeft haar dochters heel goed ingeprent dat ze wantrouwend moeten zijn tegenover vreemde mannen.

Amelie hurkt in elkaar op het ponton, haar knieën dicht tegen haar lichaam, haar armen om haar benen geslagen. Zo ziet niemand haar witte buik, haar haren hangen als een gordijn voor haar ogen, met haar arm strijkt ze ze terug.

Ze kijkt naar Judith en de onbekende man. Het ziet er vrij professioneel uit zoals hij met de camera omgaat. Anders dan haar vader die er altijd zomaar wat op los kiekt. Maar thuis hebben ze ook alleen maar zo'n doodsimpel ding waarbij je vrijwel niets hoeft in te stellen. Geen belichting, geen afstand. Het ding weet zelfs wanneer hij moet flitsen. Echt goed worden de foto's nooit. Amelie heeft geen enkele foto van zichzelf die ze leuk vindt.

'Zet eens op', zegt de knul tegen Judith.

'Wie?' vraagt ze verbluft. 'Ik?'

'Wie anders', zegt hij en houdt de camera voor zijn oog.

'Maar Amelie is veel knapper', protesteert Judith. Dat bezorgt Amelie een echte steek. Niemand anders dan Judith zou ooit zo belangeloos zeggen dat iemand anders er beter uitziet. En het is niet eens waar. Amelie vindt Judith prachtig met haar zwarte ogen en het dikke krullende haar. En dan haar wimpers die soms een schaduw op haar met zomersproeten bezaaide wangen toveren... Judith is echt knap.

En bovendien heeft ze een bruine buik, in tegenstelling tot Amelie, omdat ze al een bikini droeg toen ze zes was. Dat zegt ze tenminste.

De knul is Amelie helemaal vergeten, alsof ze lucht is. Hij heeft alleen belangstelling voor Judith. Hij maakt foto's van Judith met duikbril en zonder, liggend en zittend, hij fotografeert haar als ze lacht en tegen de zon knippert, als ze haar haren uit haar gezicht strijkt en ze weer voor haar ogen schudt.

En Amelie zit met opgetrokken benen achter hen en zwijgt. Ze ziet dat Judith het leuk vindt om gefotografeerd te worden. Judith lacht heel anders en beweegt zich anders, vindt Amelie. En weer voelt ze die steek.

Ook Judith is Amelie nu vergeten, dat voelt ze. Judith concentreert zich op wat de knul zegt. En doet alles wat hij wil. Kirt en lacht. Ze geniet van elke seconde en gedraagt zich als een ster. Dat irriteert Amelie; zij zou dat nooit doen. Nooit van haar leven. Zeker niet zonder te weten wie hij eigenlijk is en wat hij met de foto's van plan is.

Judith moet de duikbril nu als een ketting om haar nek hangen of om haar enkel. De knul ligt op zijn buik voor haar en drukt onafgebroken op de ontspanner.

'Prima zo', zegt hij.

En Judith lacht, omdat ze het leuk vindt.

'Ben je fotograaf of zo?' vraagt Amelie uiteindelijk als ze er niet langer tegen kan dat die twee haar volkomen vergeten lijken te zijn.

'Precies, of toch zoiets.' Hij kijkt niet eens naar haar, gedraagt zich echt idioot.

'Dank je', zegt ze bits. 'Geweldig antwoord.'

De knul draait zich bliksemsnel naar haar om en drukt op de ontspanner. Net op het moment dat Amelie voor de honderdste keer het bandje van haar bikini omhoogduwt. Dat maakt haar pas echt boos. 'Laat dat!' valt ze uit. 'Ik wil niet gefotografeerd worden!'

Hij houdt de camera omhoog en grinnikt. 'De film is nu vol. Kijk.' Hij houdt haar de camera voor en wanneer hij op een knop drukt, horen ze hoe de film terugspoelt. 'Ik wilde alleen maar de laatste foto maken.'

Amelie blijft heel cool, laat haar boosheid niet merken. De laatste foto! Daar is zij goed genoeg voor. De andere dertig heeft hij aan Judith besteed. Inwendig kookt Amelie, maar ze laat haar woede niet blijken.

En daar is ze trots op. Ze glimlacht naar Judith. Die kijkt een beetje bezorgd. Misschien is ze bang dat Amelie nu jaloers is, maar Amelie glimlacht en die glimlach betekent: *alles oké*.

'Echt waar?' vraagt Judith zonder het echt te vragen. Ze trekt alleen haar wenkbrauwen op. En Amelie knikt. Ze zijn vriendinnen. Ze begrijpen elkaar zonder woorden.

Opgelucht kijkt Judith de knul weer aan. Hij is nu opgestaan en heeft de camera aan zijn riem vastgemaakt, in een zwarte tas van waterbestendig materiaal. 'Is het een onderwater-camera?' vraagt ze.

'Nee, maar wel een camera die nat mag worden.'

Hij draagt een XXL-boxershort met de *Stars and Stripes* van de Amerikaanse vlag. Als Amelie iets belachelijk vindt, zijn het wel shorts die eruitzien als de Amerikaanse vlag. Ze hoopt dat de knul het merkt. Maar misschien laat het mensen als hij wel volkomen koud hoe anderen over hen denken. En het laat hem vast en zeker koud wat zij, Amelie Dhooghe, over hem denkt.

'Hé!' Judith buigt zich over de ladder wanneer hij naar beneden gaat. 'Kan ik die foto's ook eens zien?'

'Tuurlijk,' zegt de knul, 'als je dat wilt.'

'Ja, vertel hem nu ook nog hoe je heet', roept Amelie geïrriteerd. 'En schrijf dan meteen je telefoonnummer naast die tattoo. Dan heeft hij je altijd bij zich.'

Het hoofd van de fotograaf verschijnt weer boven het ponton. Judith draait zich naar haar om. Beiden staren haar aan. Amelie wordt vuurrood en buigt snel haar hoofd.

Judith schraapt haar keel. 'Goed', zegt ze. 'We zitten op de Sint-Jansschool.'

'Mooi.' De fotograaf verdwijnt.

'We zitten in 3B!' roept Judith hem achterna. Maar dan horen ze hem al plonsen en snuiven en als zijn hoofd weer verschijnt, is hij al meer dan twintig meter verderop in de richting van de oever.

'Ik heet Judith!' brult Judith. Amelie zegt niets. Doodstil staan ze daar en kijken een poosje zwijgend toe hoe de fotograaf naar de oever zwemt, hoe hij uit het water stapt en langs de andere badgasten op hun uitgespreide handdoeken naar de kleedcabine loopt.

'Eerst', zegt Judith, 'dacht ik dat hij van de televisie was of zo.'

'Waarom? Hij lijkt toch niet op iemand?'

'Maar daarna...' gaat Judith gewoon verder zonder op de opmerking van Amelie te reageren, 'vond ik het toch wel fijn dat hij niet zo'n vlerk is, maar een echte fotograaf.'

'Een vlerkerige fotograaf!'

Judith kijkt Amelie verbaasd aan en schiet dan in een luide lach. 'Nu ben je toch boos. Dat is echt stom. Ik dacht dat het oké was.'

'Wat zou er oké zijn?'

'Dat hij steeds alleen maar mij fotografeerde. En dat de film vol was voordat hij foto's van jou kon maken.'

'Hij wilde helemaal geen foto's van mij maken.' Amelie gooit haar hoofd naar achteren. 'En als dat wel zo zou zijn dan had ik dat niet gewild.'

'Waarom niet? Het was toch grappig?'

Amelie laat zich weer op de vlonder zakken. Het laat haar nu koud dat ze een witte buik heeft en of iemand die kan zien of niet.

'Omdat ik meisjes die zo ontzettend graag model willen worden en later op de titelpagina van een of ander stom modeblad staan te grijnzen, gewoon niet wijs vind.'

Judith staart haar aan.

'Echt? Meen je dat serieus?'

'Jij niet?' vraagt Amelie bot.

De fotograaf komt nu uit de kleedcabine. Van een afstand is hij niet goed te zien, maar Amelie zou hem herkennen uit honderden. Hij draagt een spijkerbroek met daarop een zwarte polo en daarover een kakikleurig vest. Over zijn schouder hangt de tas met de camera. Het volgende moment is hij verdwenen.

Amelie kijkt even naar Judith. Ze vindt dat Judith vreemd onnozel kijkt wanneer de fotograaf opeens verdwenen is zonder zich nog eens om te draaien.

2

Het regent al de hele zaterdag. 'Het lijkt wel een moesson', heeft Amelies vader gezegd. 'En dat hier, in ons zeeklimaat.' Amelies vader is leraar aardrijkskunde.

Het geplande uitstapje is niet doorgegaan. Die ochtend belde Judith om te zeggen dat ze keelpijn heeft en dat het weerbericht echt beroerd was. Het regende toen nog maar een beetje en af en toe zag je ook stukjes blauwe lucht.

'Het weer wordt wel weer beter', zei Amelies moeder aan het ontbijt. 'Je moet niet zo snel opgeven. En het is toch fijn om een flinke wandeling te maken. Daar heb je heus niet zo veel zon bij nodig. Bovendien is regenwater goed voor je huid.' Maar toen belde Judith en was de zaak bekeken. 's Morgens was Amelie op haar kamer gebleven, maar 's middags hield ze het gewoon niet langer uit. Nu drentelt ze maar wat door het huis op zoek naar iets om te doen, naar wat afwisseling. In de bijkeuken staan twee manden schone was. Amelie overweegt even of ze zich ertoe kan zetten om de strijkplank te pakken.

Maar hoe erg moet het zijn dat ze vrijwillig gaat staan strijken!

Mirjam is bij haar vriend. Daar is ze vaak. Te vaak, vinden

Amelies ouders. Maar dat zeggen ze niet hardop. Mirjam
is achttien. Meerderjarig dus. Hij heet Leo en zit op de
hotelschool. Hoewel haar ouders het nooit hebben gezegd,
weet Mirjam dat ze Leo niet zo mogen. Leo is tegen buitenlanders, tegen de Koerden en de Tamils uit Sri Lanka, die bij
hem in de buurt wonen. Hij vindt het niet goed dat er steeds
meer voorzieningen worden getroffen voor de Turken en de
Portugezen en de Bulgaren. Dat had hij beter niet kunnen
zeggen, want de vader van Amelie en Mirjam is een van die
betrokken leraren die proberen de ogen van hun leerlingen te
openen voor dingen die spelen in de wereld.

Omdat altijd als Leo er is, de kans bestaat dat er over politiek
wordt gesproken, en omdat Mirjam altijd onrustig wordt als
haar ouders voorzichtig proberen Leo te 'overtuigen' (zoals
hij dat noemt), is Mirjam nu niet meer zo vaak thuis als
voorheen. Vroeger was het voor Amelie vanzelfsprekend dat
er altijd een oudere zus was naar wie je kon vluchten als je je
eenzaam voelde. Met wie je kon praten en naar muziek kon
luisteren, met wie je kon ruziën of lachen. Nu weet Amelie
dat het niet vanzelfsprekend is.

Mirjam heeft Amelie laten zien hoe je met een computer
moet omgaan; ze hebben samen de nieuwste spelletjes
geprobeerd. Nu is de kamer van Mirjam bijna altijd op slot,
ook iets wat Amelie niet begrijpt. Het ergert haar moeder
ook, dat voelt Amelie heus wel, maar ze zegt niets. Ze wil
niet nog meer problemen met Mirjam. Misschien is ze bang
dat Mirjam dan helemaal bij Leo intrekt. Leo huurt een
appartement ergens in Antwerpen. 'Daar kunnen ook wel
twee mensen wonen', zegt hij. Hij hoeft het alleen maar
tegen de verhuurder te zeggen. 'En die zegt heus geen nee.'
Alsof die bang voor hem is.

Amelie kan Leo niet uitstaan. Iemand die het leuk vindt dat anderen bang voor hem zijn! Zoiets vindt ze pervers.

Amelie gaat naar de woonkamer. Haar moeder zit aan de eettafel en legt een patience. Haar vader kijkt basketbal op de sportzender. Haar moeder kijkt vriendelijk op wanneer Amelie binnenkomt. 'Dag schatje,' zegt ze, 'verveel je je?'

'Verveel je je een bult,' zegt haar vader, 'dan is dat je eigen schuld.'

Amelie draait met haar ogen. 'Ha ha, die spreuk heb ik eerder gehoord!'

'Ja,' knikt haar vader, 'van mij! En hij gaat nog verder: Verveel je niet, zelfs niet even, want er is zo veel te beleven!'

'Heb je geen huiswerk?' vraagt haar moeder.

Zwijgend maakte Amelie op haar hakken rechtsomkeert.

'Lees eens een goed boek!' roept haar vader haar achterna.

Amelie slaat de deur achter zich dicht. Wat zou hij onder een 'goed boek' verstaan? Waarschijnlijk een wiskundeboek. Amelies vader geeft niet alleen aardrijkskunde, maar ook maatschappijleer en wiskunde. Hij behoort tot de zeldzame exemplaren van de mensheid die wiskunde spannender vinden dan een misdaadfilm op televisie. Mirjam is ook zo'n kei in wiskunde. Maar Amelie is goed in talen. En in scheikunde.

Om te proberen drukt Amelie de klink van Mirjams kamerdeur naar beneden. Maar die geeft niet mee. Mirjam doet hem echt altijd op slot. En dat terwijl er in haar kamer niets te verbergen valt, dat weet Amelie heel goed. Ze kent de weg in Mirjams kamer bijna beter dan in haar eigen kamer. Dat komt omdat Mirjams kamer veel lichter is, een balkon heeft en omdat daar de rode bank uit hun oude huis staat. Vroeger woonden ze in het oude centrum van de stad, in een huis uit de zeventiende eeuw. Op de tweede verdieping, met scheve muren, met een schuin dak, kleine raampjes en uitzicht op een prachtig park. Bij mooi weer keek je vanuit elke kamer zo op een ansichtkaart. 'Maar van een uitzicht alleen', zeiden haar ouders, 'kun je niet leven.' Er was gewoon niet voldoende ruimte in het huis. Mirjam en Amelie moesten een kamer delen, hun vader had geen eigen werkkamer, maar een bureau in de hoek van de slaapkamer. Daar stapelden de schriften van zijn leerlingen zich op, de boeken die hij moest lezen, de vakbladen waarop hij een abonnement had. Het was altijd een bende en elke dag hadden hun ouders daar ruzie om.

Nu wonen ze in een rijtjeshuis met twee verdiepingen en een zolder. Ze hebben een eigen tuintje en een garage. Hun vader kan op zolder werken, Mirjam en Amelie hebben elk een eigen kamer en hun moeder heeft het voor elkaar gekregen dat de wasmachine en de droger een eigen bijkeuken hebben. Ze zijn allemaal gelukkig, behalve Amelie. Als ze nu naar de stad wil, moet ze met de bus en die gaat hooguit vijf keer per dag. Ze zou met de fiets kunnen gaan, maar omdat ze halverwege een flinke heuvel wonen, is de terugweg altijd een behoorlijke klim en daarom loopt ze maar. Lopend kost het Amelie vijftig minuten om in de stad te komen.

Amelie staat bij het raam, kijkt naar de grijze regenwolken en bedenkt wie ze in de stad zou kunnen ontmoeten. Een paar lui uit haar klas zouden op het plein kunnen zijn, maar hoe moet ze daar achterkomen?

Ze rukt haar slaapkamerdeur open en roept naar de gang: 'Voor mijn verjaardag wil ik een gsm! Iedereen in mijn klas heeft een gsm. Alleen ik natuurlijk weer niet.' Dan knalt ze de deur dicht.

Twee tellen later stuift haar vader haar kamer binnen. Met op zijn voorhoofd de frons die daar altijd verschijnt als hij boos is. 'En wie, als ik vragen mag,' buldert hij, 'zal de telefoonkosten dan betalen? Sinds wanneer is het nodig dat kinderen voortdurend met elkaar lopen bellen? Dat was vroeger ook niet zo!'

'Vroeger had je ook geen computers,' zegt Amelie nijdig, 'maar die vind je geweldig.'

'Bovendien', zegt haar vader, 'wil ik niet dat je je verjaardagswensen als een verwende aap gewoon door het huis schreeuwt.'

Amelie heeft geen zin om met haar vader te kibbelen. Er is ook helemaal geen reden toe, behalve dan dat de wandeling in het water gevallen is, Mirjam weer met Leo op stap is en iedereen elkaar irriteert.

Ze grijpt haar jas die over de stoel hangt, propt haar portemonnee in haar jaszak en wurmt zich langs haar vader heen.

'Waar ga je naartoe?' roept hij haar achterna wanneer ze al bijna bij de voordeur is.

'Geen idee', zegt Amelie.

'En wanneer kom je terug?'

Maar Amelie staat al buiten.

Pas als ze bij de bushalte is en op haar horloge kijkt, wordt het haar duidelijk dat de bus precies vijf minuten geleden vertrokken is. Dat is niet bepaald bevorderlijk voor een goed humeur. Nijdig stapt ze verder. Naast haar stroomt een beekje. De goot in de weg kan het vele regenwater niet meer aan. Al na tien minuten lopen zijn haar leren schoenen doorweekt. Het ergert haar dat ze haar laarzen niet aangetrokken heeft, maar het stopt opeens met regenen.

Auto's die haar inhalen maken beleefd een grote boog om haar heen. Maar niemand stopt om te vragen of ze een stukje wil meerijden. Mocht het iemand zijn die ze kent, een buurman, vrienden van haar ouders of collega's van het kantoor waar haar moeder werkt, dan zou ze best mee kunnen rijden.

De kerkklok op het plein wijst vijf minuten voor zes als Amelie daar eindelijk aankomt. Het plein ligt er uitgestorven bij. De terrasstoelen van de cafés zijn opgestapeld, de zonneschermen ingehaald. Rond de fontein vormen zich diepe plassen. Zelfs de kids met hun inlineskates wagen zich niet op de natte straten.

Alleen uit *De Grot* komt lawaai. En technomuziek.

De Grot is het ontmoetingspunt voor de bovenbouw, voor mensen als Mirjam en Leo. Maar die zijn nu ergens anders op stap. Mirjam zegt dat er in Antwerpen veel meer te doen is voor hun leeftijd, maar dat kun je in zo'n voorstad natuurlijk niet verwachten. Dan ben je al blij als er in een of andere bistro moderne muziek te horen is.

Alleen is Amelie nog nooit in *De Grot* geweest. Ze is hier eigenlijk helemaal nog niet zo vaak geweest. Twee keer met Judith en een keer met Mirjam en Leo. Ze weet ook niet of ze eigenlijk wel zin heeft om hier naar binnen te gaan. Als ze nu helemaal niemand kent? En als het meisje – met dat afrokapsel – achter de bar nu vraagt hoe oud ze is? Wat dan? In oktober wordt Amelie vijftien. Maar ze bijt liever haar tong af dan dat ze dat hardop zegt waar anderen bij zijn.

In de etalage van een drankenhandel bekijkt ze haar spiegelbeeld. Eigenlijk ziet ze er niet goed genoeg uit voor *De Grot*. De mensen die daar komen, zijn eerst minstens een uur bezig met stylen. Minstens een uur. Die denken de hele dag aan wat ze zullen aantrekken, hoe ze hun haar kunnen doen, welke schoenen, welke nagellak, welke sjaal, ketting of wat dan ook. Wie naar *De Grot* gaat, moet hip zijn.

Amelie draagt haar oude jeans, die goed is om een beetje te *chillen*, een stom lichtgroen T-shirt met een onnozele spreuk op de rug en haar zwarte satijnen jasje. Omdat dat toevallig op de stoel hing. Het past niet bij haar jeans en niet bij het T-shirt. En haar piekharen zijn dof. Amelie steekt in de etalage haar tong naar zichzelf uit en doet 'bèh'.

Op dat moment gaat de deur van de winkel open en iemand roept: 'Dat noem ik nog eens toevallig!'

Amelie draait zich met een ruk om. Daar staat, wijdbeens en grinnikend, een man, midden twintig, kortgeschoren haar, bruinverbrand gezicht, zwarte polo en aan zijn linkeroor bungelt een zilveren vis.

Amelie wordt vuurrood. Ze doet een stap achteruit. En nog een. De fotograaf?

De knul die een hele zomermiddag lang Judith heeft gefotografeerd en toen als van de aardbodem weggevaagd leek. De knul die had beloofd om de foto's te laten zien en zich daarna nooit meer heeft vertoond. Die stommeling om wie Judith heel wat tranen van boosheid en teleurstelling vergoten heeft! Hij staat voor haar, onder beide armen een fles wijn, en grijnst.

Amelie staart hem alleen maar aan, niet in staat iets te zeggen.

'Hi', zegt hij en hij straalt over zijn hele gezicht. 'Ik had veel verwacht, maar dit niet. Dat ik net hier terug ben en als eerste jou tegenkom. Waanzinnig. Echt!'

Amelie zegt niets. Maar ze denkt er het hare van. *Hier! Net hier terug!* Moet ze aannemen dat hij twee maanden lang niet in de stad geweest is? Dat is toch wel een heel goedkope smoes omdat hij niets van zich heeft laten horen.

'Hoe is het met jou? Wat spook je uit? Nog altijd op de Sint-Jansschool?'

Zoals hij dat zegt. Alsof hij vraagt of ze nog altijd van lotje getikt is. Opeens denkt ze weer aan haar witte buik, die ze de hele tijd voor hem verborgen wilde houden, en aan de veel te grote bikini. Ze voelt zich ellendig. Wat ongelooflijk stom en pijnlijk was dat.

Hij legt zijn hoofd schuin en grijnst, alsof het allemaal heel easy en happy is. 'Hé, ben je je tong verloren of zo? Waar wil je naartoe? Mijn auto staat daar. Ik kan je wel ergens naartoe brengen als je wilt. Ik heb alleen even wat voorraad gehaald. We hebben wat te vieren.'

Amelie knikt en haalt tegelijkertijd haar schouders op.

Waarom vertelt hij dat allemaal? Denkt hij soms dat dat haar ook maar een greintje interesseert?

Hij wacht, maar omdat Amelie blijft zwijgen, zegt hij opeens: 'Ik heb nog een paar afdrukken thuis, van Judith.'

Amelie haalt opnieuw haar schouders op.

'En die foto van jou. Die is super geworden!'

'Wat?' vraagt Amelie. Ze heeft het gevoel dat ze hem daarnet niet echt goed verstaan heeft.

'Je ziet er top uit. Dat wilde ik je steeds nog zeggen. Maar ja, ik was niet in het land. Moest weg.' Hij maakt een vage beweging met zijn hoofd in de verte.

Wat bedoelt hij nu? Weg? Naar het buitenland? Wat een onnozele vent is het toch.

'Mexico', zegt hij. Hij spreekt het uit als 'Mechico'. 'Hard werken. We moesten modefoto's maken, voor een catalogus. Maar die meiden waren niet half zo goed als jij. Gek.' Hij grinnikt weer. 'Ik ben pas gisteren teruggekomen, heb nog geen stap buiten de deur gezet en de eerste die ik tegen het lijf loop, ben jij. Weet je hoe zoiets heet?'

Amelie schudt haar hoofd. Vanuit haar ooghoeken ziet ze dat de deur van *De Grot* opengaat. Een groepje dromt naar buiten. In het midden Mario Cantoni. Mario Cantoni zit in het vierde middelbaar. Op het laatste schoolfeest hebben Amelie en hij een halfuur gedanst, drie keer heel close. En toen heeft Mario haar een cola gegeven en hij zei dat hij haar zou uitnodigen voor zijn verjaardagsfeest. Hij heeft verteld wat een geweldig feest het zou worden. En Amelie heeft twee weken lang elke dag in de grote pauze gewacht tot Mario haar zou aanspreken of een uitnodiging zou geven. Maar het enige waartoe hij zich verwaardigd heeft, was een kort 'hallo' en een scheve grimas. Amelie had zichzelf ooit gezworen dat ze nooit één enkele traan om een jongen zou huilen, maar toen heeft ze er toch stiekem twee of drie in haar kussen laten vallen.

Mario blijft staan wanneer hij haar ziet. Hij monstert de fotograaf en de wijnflessen die hij in zijn armen heeft. Dan lacht hij. Hij steekt zijn handen in zijn broekzakken en loopt langzaam op hen af. 'Hi, Amelie. Ergens een feestje?'

Amelie schudt haar hoofd.

'Jammer,' zegt Mario, 'anders was ik van de partij. Tot ziens dan maar, oké?' Hij steekt zijn hand op, draait zich om en slentert weg. Hij legt zijn arm om de schouders van een jongen, die Amelie niet kent. Ze lachen. Amelie voelt een steek. *Ze lachen om mij,* denkt ze, omdat ze zoiets altijd denkt. Mirjam zegt dat het haar minderwaardigheidscomplex is. 'Waarom denk je altijd dat anderen om jou lachen?' Amelie had alleen haar schouders opgehaald. 'Ik wilde dat ik het wist.'

Terwijl ze Mario nakijkt, bedenkt Amelie dat ze vast en zeker een praatje hadden gemaakt, als ze hier niet met die fotograaf had gestaan. Misschien hadden ze zelfs wel een afspraak gemaakt. En ze denkt: *Hij duikt altijd op het verkeerde moment op.* Die gedachte maakt haar nog bozer. Ze draait zich om en loopt weg.

'Amelie! Wacht!' Hij komt haar achterna. *Nu weet hij hoe ik heet*, denkt Amelie. Haar hoofd wordt rood.

'Ik zou graag iets met je afspreken', roept de fotograaf.

Amelie zucht en blijft staan. 'Hoezo afspreken?'

'Draai je in elk geval weer om', zegt hij. 'Je bent misschien wantrouwig, maar ik wil je aanbieden een paar foto's van je te maken. Echte professionele foto's, weet je. Misschien wordt het wat.'

'Wordt wat wat?' vraagt Amelie dommig. Maar haar hart slaat over. Dat voelt ze.

De fotograaf lacht. 'Misschien maak ik je wel beroemd. Wie weet!'

Beroemd! Amelie heeft het gevoel of de aarde onder haar voeten golft, alsof de oude muren van de huizen, die al met de bovenste verdieping over het straatje hangen, op haar afkomen. Zo moet het voelen als de aarde beeft: als alles wat je een leven lang voor zeker hield, opeens niet meer zeker is. Golvende grond onder je voeten.

Ze knippert met haar ogen, glimlacht verlegen, slikt, hoest, schraapt haar keel weer en herhaalt wat hij zojuist zei, maar misschien niet meende: 'Beroemd? Ik?'

De fotograaf zet de wijnflessen neer, zodat ze tussen zijn voeten blijven staan. Hij graaft in de achterzak van zijn spijkerbroek, haalt een zwart leren mapje tevoorschijn en doet het met een arrogant gebaar open. Meteen ziet Amelie

dat er heel veel creditcards in zitten, maar hij haalt uit een bijvakje een wit kaartje dat hij haar met een zwierig gebaar overhandigt. 'Alsjeblieft. Dat ben ik.'
Amelie leest:

Nick Van Osselaer
fotograaf
Brussel

Twee telefoonnummers staan erbij. Naast het ene staat *studio*, naast het andere *gsm*. Amelie heeft allang alles gelezen, maar ze kijkt nog altijd op het kaartje, omdat ze niet weet waar ze anders naar zou moeten kijken.
'Mijn moeder is deze zomer hier komen wonen', zegt Nick. Amelie noemt hem in gedachten al bij zijn voornaam.
'Toen ik Judith en jou hier ontmoette, had ik mijn moeder geholpen met de verhuizing.' Hij lacht. 'Niet te geloven wat oude mensen in hun leven zoal verzameld hebben.'
Amelie glimlacht. Een schuw glimlachje, dat weet ze. Het glimlachje dat haar ouders 'charmant' vinden. Mirjam vindt het 'stom': 'Net een schuw hertje. Dat is allang out. Je moet zelfbewuster glimlachen.'
Wat Amelie in tien seconden allemaal niet kan bedenken. Er schieten honderd dingen tegelijk door haar hoofd. Woorden en begrippen tuimelen over elkaar. Alleen aan het woord 'beroemd' wil ze niet denken. Als dat woord door haar hoofd gaat, duwt ze het energiek weer weg.
Hoe moet dat als iemand, een meisje van – laten we zeggen – vijftien jaar dat op de Sint-Jansschool zit, beroemd wordt? Dwaas.
'Neem het maar mee', zegt de fotograaf. 'Je kunt me altijd

bellen. Oh nee, wacht, geef nog eens.' Hij strekt zijn hand uit en Amelie denkt teleurgesteld: *Dat was het dan. Hij heeft zich bedacht.*

Ze geeft met gebogen hoofd het kaartje terug. Daarbij valt haar blik op haar voeten, op de doorweekte, afgetrapte schoenen, de natte, gerafelde zoom van haar chill-jeans. Verder naar boven wil ze niet kijken. Ze wil niet denken aan dat suffe appelgroene T-shirt (mode van vorig jaar) en al helemaal niet aan die stomme spreuk op haar rug. Maar die kan Nick gelukkig niet zien. Vanwege het zwarte satijnen jasje. Heimelijk trekt ze de ritssluiting zo ver naar boven, dat het appelgroene T-shirt helemaal verdwijnt.

Nick heeft uit de borstzak van zijn polo een zilverkleurige ballpoint tevoorschijn getoverd. Nu draait hij het visitekaartje om, denkt even na, fronst zijn voorhoofd, mompelt wat, haalt zijn gsm tevoorschijn, rommelt er even mee, zegt 'Ah, daar is het.' En schrijft.

Amelie ziet dat Mario en zijn vrienden terugkomen. Mario zwaait naar haar. Ze zwaait aarzelend terug.

Mario blijft staan en steekt een sigaret op. De anderen slenteren verder. Heel even verbeeldt Amelie zich dat Mario jaloers is. Omdat ze hier met Nick staat, die eigenlijk een te gekke knul is.

Nick overhandigt haar het visitekaartje weer. Hij houdt het tussen wijs- en middelvinger. Dat ziet eruit alsof hij een man van de wereld is. 'Ik heb het nummer van mijn moeder erbij gezet. Ik ben hier nog tot dinsdag. Maar ik probeer wel naar school te komen. Ik heb Judith immers een paar afdrukken beloofd. Ik hoop dat ik ze hier heb.'

'Ze rekent er vast niet meer op', zegt Amelie. Moet ze Nick soms vertellen hoeveel dagen Judith na het eind van de zomervakantie bij school naar hem uitgekeken heeft? Hoe teleurgesteld ze was, toen hij zich niet meer liet zien? Moet hij eigenlijk wel weten hoe vaak ze het over hem gehad hebben?

'Ik moet ervandoor', zegt Nick dan omdat Amelie blijft zwijgen. 'Mama heeft de nieuwe buren uitgenodigd. Ze wacht op me.' Hij pakt de flessen weer en glimlacht naar haar. 'Nu weet je mijn naam, mijn telefoonnummer, mijn adres, alles. Maar ik weet van jou alleen dat je Amelie heet.'

Amelie heft haar hoofd, kijkt hem aan. Opeens fonkelt er iets als trots in haar ogen. 'Dat is toch voldoende', zegt ze en ze laat hem staan. Ze steekt het kaartje in haar zak en loopt gewoon weg.

Wanneer Mario ziet dat Amelie het gesprek met Nick beëindigd heeft, laat hij zijn sigaret op de grond vallen, trapt hem uit en komt naar haar toe; nonchalant loopje, nonchalant glimlachje.

'Hoe ken jij die vent?' vraagt hij en trekt zijn wenkbrauwen een stukje op.

Amelie lacht. Ze draait haar hoofd even opzij en ziet dat Nick in de andere richting wegloopt. 'Ik ken hem niet. Niet echt. Hij heeft eens wat foto's gemaakt van Judith en mij.'

Mario lacht. 'Kom op, een fotograaf? Echt? Foto's van jou en Judith?' Maar zijn stem klinkt krampachtig. Amelie hoort een scherpe ondertoon. Zou hij jaloers zijn? Die gedachte doet haar goed. Ze vindt hem aardig. Ze haalt het visitekaartje uit haar jaszak en geeft het aan hem. 'Hier, als je het niet wilt geloven.'

Mario werpt een achteloze blik op het kaartje. Amelie ziet hoe zijn pupillen groter worden. Ze hoort hoe hij inademt. 'Wow!' zegt hij. Amelie voelt zich trots. Voor de eerste keer.

Nu ben ik iets bijzonders, denkt ze. *Nu vindt hij het jammer dat hij me niet uitgenodigd heeft voor zijn party. Dat hij op het schoolplein nauwelijks aandacht aan me heeft besteed.*
Hij geeft haar het kaartje terug, dat ze weer in haar zak steekt. Hij steekt een nieuwe sigaret op. Dikke gebaren. Uit verlegenheid. In Amelie breidt de warmte zich uit.
'We hebben gekeken', zegt Mario, 'wat er in *Nelson* te doen is. Niets dus. Met dit hondenweer heeft niemand zin om de deur uit te gaan. Daarom gaan we nu maar weer terug naar *De Grot*. Ga je mee?'
Amelie hoeft niet na te denken. Ze is immers naar de stad gegaan om wat mensen te ontmoeten. Mensen met wie ze kan kletsen, cola kan drinken, naar muziek kan luisteren en de saaie zaterdag kan vergeten.
'En daarna', zegt Mario, 'gaan we het feest bij Verheul nog even opporren. Met jou!'
Amelie schudt lachend haar hoofd. 'Mijn ouders denken dat ik even een eindje gaan lopen ben. Ik blijf heel even en dan ga ik naar huis.' Ze kijkt op haar horloge. 'Of ik neem de bus van zeven over acht.'
Mario haalt zijn schouders op. 'Oké.' Hij duwt de deur van *De Grot* open. Het is er lawaaiig en rokerig. Heel even ziet Amelie helemaal niets.
'Wat wil je drinken?' vraagt Mario.
'Een colaatje graag', zegt Amelie.
Mario trekt een grimas. 'Een colaatje graag. Wat klinkt dat lief.'
Amelie lacht. Ze voelt zich opeens heel licht, alsof ze vleugels heeft. 'Ik *ben* lief, wist je dat niet?'

Die maandag hebben ze een wiskundetoets. Judith is niet op school, misschien vanwege de toets, misschien is ze echt nog ziek. Amelie heeft haar zondag niet gebeld en daarom heeft ze last van haar geweten. Ze weet dat ze had moeten bellen om Judith te vertellen over haar ontmoeting met de fotograaf. En waarom hij niets van zich heeft laten horen. Gewoon, omdat hij in Brussel woont en niet hier. En omdat hij twee maanden in Mexico is geweest. Alleen zijn moeder woont hier. Die is pas hierheen verhuisd. Dat weet Amelie allemaal. Maar ze heeft het niet aan Judith verteld, hoewel ze het die zomer steeds hebben gehad over 'Judiths fotograaf'. Voor de grap. Maar toch. Hij heeft van Amelie maar één foto gemaakt, een kiekje, meer uit verlegenheid, vond Amelie steeds, maar Judith moest echt voor hem poseren. Dat was iets heel anders.

Amelie zit gebogen over haar toets, kauwt op haar pen en kan zich gewoon niet voorstellen hoe je de oplossing van deze opgaven moet vinden. Vandaag vindt ze het wel heel erg moeilijk om zich te concentreren. Ze staart uit het raam.

Na de hevige regen van het weekend (op zondag regende het gewoon verder) is de lucht opeens stralend blauw, alsof hij schoongewassen is. Het is koeler geworden en de eerste bladeren worden geel. In Luxemburg heeft het al gesneeuwd. Het zal niet lang meer duren of haar ouders maken plannen om te gaan skiën. Vroeger ging Amelies vader veel wandelen in de bergen. Hij heeft ook wel geklommen, maar op een keer is er een haak losgeraakt van de bergwand. Toen is hij vijf meter naar beneden gestort en daarbij heeft hij zijn pols gebroken. Sindsdien, zegt hij, voelt hij zich niet meer zo zeker bij het klimmen. En haar moeder is blij dat ze zich geen zorgen meer hoeft te maken. Maar als ze gaan skiën, zomaar ergens en niet op speciale pistes, dan zijn ze niet bang. Dat

vindt Amelie vreemd. Ze moet altijd denken aan lawines,
die al heel wat skiërs de dood hebben ingesleurd. Maar als
ze zoiets zegt, antwoordt haar vader altijd meteen dat ze
geen beginnelingen zijn, geen domme toeristen die zomaar
ergens de bergen in gaan. De bergen waar zij naartoe gaan,
zijn ook niet zo enorm. 'En we weten wat we doen', zegt
hij. Maar Amelie kan hem heel wat ongelukken opnoemen
waarbij ervaren skiërs betrokken waren, mensen die 'wisten
wat ze deden'. Zij blijft liever op de gewone piste, in de buurt
van de lift, zelfs al is het daar wel eens wat benauwd voor
een snowboarder door de vele skiërs. Maar snowboarden
vindt ze leuk, daar verheugt ze zich nu al op. Alleen als de
zon schijnt, dat wel, en als het niet kouder is dan min tien.
Anders bijt de kou zo in haar gezicht.
'En? Lukt het?' De leraar blijft naast haar staan, buigt zich
glimlachend over haar papier. Meneer Lennarts is een vriend
van Amelies vader. Ze hebben samen gestudeerd en zijn
elkaar in deze stad weer tegengekomen. Gelukkig werkt haar
vader op een andere school! Ze moet er niet aan denken
dat haar vader ook in de pauzes nog toezicht op haar zou
houden. Of als andere leerlingen lol hebben omdat ze hem
een poets gebakken hebben.
Wanneer meneer Lennarts ziet dat ze nog geen enkele
opdracht af heeft, fronst hij zijn voorhoofd. 'Wat is er met
jou? Zo moeilijk is het toch niet?'
Amelie wordt rood. 'Nee, maar ik kan me niet concentreren.'
Ze buigt zich dieper over het papier. Meneer Lennarts legt
zijn hand vluchtig op haar rug. 'Altijd met je hoofd ergens
anders, is het niet? Ik zou wel eens willen weten waar jullie
altijd met je gedachten zitten!' Hij loopt verder.
Amelie knijpt haar ogen dicht, doet ze weer open, trekt haar

stoel dichter naar de tafel, duwt haar knieën tegen elkaar, recht haar bovenlichaam en haalt diep adem. *Zo, denkt ze, ik kijk nog eens heel goed. En als ik de opgave dan nog niet begrijp...*

Maar opeens is het heel makkelijk. Amelie schrijft de uitwerking op, zo zeker en vanzelfsprekend alsof ze iets van het bord overschrijft. Opeens doorstroomt haar een geluksgevoel. En vol vertrouwen gaat ze aan de volgende opdracht. Ook die is heel simpel!

Ze schrijft en ze schrijft. Wanneer meneer Lennarts weer langsloopt, ziet hij alleen de lange, blonde haren die als een gordijn over haar gezicht hangen en een hand met heel veel vriendschapsbandjes. Hij glimlacht. 'Kijk eens, het lukt toch wel.'

Mario wacht bij de glazen deur die toegang geeft tot het plein. Hij leunt tegen een pilaar en leest in een pocketboek, dat hij als een krant heeft opgerold. Terwijl hij leest, moet hij het boek steeds draaien. Amelie heeft nog nooit iemand gezien die boeken bij het lezen zo mishandelt, maar misschien vindt hij het cool. Mario behoort tot de lui die altijd cool willen zijn. Altijd totaal *relaxed*.

Mario zit in het vierde, Amelie in het derde middelbaar. Hij heeft dit jaar als keuzevak informatica gekozen. Mario behoort net als Amelies zusje Mirjam en haar ouders tot de grote groep van computerfreaks. Hij is hele nachten bezig om nieuwe computerprogramma's te ontwikkelen. Het is zijn droom om meteen na zijn eindexamen een bedrijf op te richten met software die wereldwijd verkocht kan worden. Dat heeft hij Amelie zaterdagavond in *De Grot* verteld. En Amelie heeft geglimlacht en gedacht: *Nog zo eentje die*

alleen maar aan computers, bits en bytes denkt! Maar wat geeft
het. Ze weet nu wel dat hij ook goed kan dansen...
Wanneer hij Amelie ziet, rolt Mario het boek nog steviger op
en stopt het in zijn jaszak. 'Hi', zegt hij. 'Waar zat je? De rest
van je klas is al lang buiten.'
Amelie glimlacht verlegen. 'Wacht je op mij dan?'
'Op wie anders?' vraagt hij luchtig. 'Haal jij ook wat te
drinken?'
Ze lopen samen naar de kraam met koele drankjes, die de
conciërge bij mooi weer buiten neerzet. De conciërge is een
schat. Dat vindt iedereen. Hij probeert gewoon om het de
leerlingen zo prettig en gemakkelijk mogelijk te maken.
'Hebben je ouders nog iets gezegd dat je zo laat thuis was?'
vraagt Mario als hij eindelijk twee bekers chocolademelk
heeft bemachtigd en bij Amelie terugkomt. Amelie zit op een
muurtje en laat haar benen bungelen. Haar voeten steken in
nieuwe witte gymschoenen. Af en toe steekt ze haar voeten
naar voren en bewondert de vorm van haar nieuwe schoenen.
Ze zien er uit alsof je ermee op Mars kunt wandelen, vindt ze.
Ze lacht. 'Met deze schoenen kun je wel op Mars lopen. Wist
je dat?'
'Wat?' Mario grinnikt een beetje verbouwereerd. 'Dat is zeker
een grapje?' Hij gaat naast haar op het muurtje zitten en zo
drinken ze hun chocolademelk. 'Pervers', zegt Mario.
'Wat?'
Amelie bekijkt haar gymschoenen nog eens.
'Dat je op je zestiende nog chocolademelk drinkt en dan ook
nog door een rietje. Echt.' Hij verfrommelt het lege pakje in
zijn vuist en mikt het gericht naar de afvalbak, die een meter
of vier verderop staat. 'Dat zou je dan niet meer moeten
doen.'

'Wat wil je dan in de pauze drinken? De melk is zo smerig.'

'Ze moeten hier gewoon een echte bar maken, net als in *De Grot*.' Mario grijnst. 'Bier, cola, rum. Zodat je een behoorlijke *cuba libre* kunt mixen. Of tomatensap met wodka.'

'Jij hebt zeker een klap van de molen gehad', zegt Amelie vrolijk.

Meneer Lennarts loopt langs en knikt even ter begroeting. Meneer Lennarts groet altijd alle leerlingen die hij persoonlijk kent. Dat vindt iedereen heel gek, maar ook wel weer aardig.

'Het is me toch gelukt, meneer Lennarts', roept Amelie de leraar achterna. Hij blijft staan, draait zich om en steekt zijn duim op. Dan loopt hij weer verder.

'Hadden jullie een wiskundetoets?' vraagt Mario.

'Ja.'

'Vertel!'

'Wat valt daarover te vertellen?'

'De opdrachten natuurlijk. Wat was het? Algebra? Geo?'

Amelie heeft het gevoel of ze thuis is. Daar worden ook altijd meteen dit soort vragen gesteld. Zij vindt het al erg genoeg als ze een wiskundetoets moet maken. Om daar ook nog over te praten, is te veel van het goede. Alsof er geen andere gespreksonderwerpen zijn. Ze laat zich van het muurtje glijden en haalt het boek uit zijn jaszak. 'Wat lees je?'

'Multatuli', zegt hij. '*Max Havelaar*. Ik moet er iets over vertellen.'

Mario pakt het boek uit haar handen en stopt het weer in zijn jaszak.

'En?' vraagt Amelie. 'Hoe is het? Waar gaat het over?'

'Geen idee, ik ben pas op bladzijde 11. Hé, ik heb echt geen zin om over zo'n stom boek te praten!'

Gek, denkt Amelie, *ik wil niet over wiskunde praten en hij niet over Nederlands. De vraag is alleen, waar zullen we dan wel over praten?*

Het is Michiel die hen uit de verlegenheid redt. Michiel zit bij Mario in de klas. Hij is de beste basketballer van de hele school. Basketbal is zijn grote passie. Michiel is dan ook bijna twee meter lang. Hij wil Mario beslist overhalen om ook te gaan basketballen. En Amelie is lucht geworden.

Ze laat hen zitten en slentert verder. Ze glimlacht alsof ze het helemaal niet erg vindt in de pauze alleen te zijn.

Opeens denkt ze aan Judith. *Als ik een gsm had,* denkt ze, *zou ik haar nu even bellen om te vragen hoe het gaat. Vragen of ze er niet is om die wiskundetoets of omdat ze echt ziek is. En ik zou dan kunnen voorstellen dat ik na schooltijd even bij haar langskom.*

Voor haar verjaardag moet ze beslist een gsm hebben. Alleen dat, anders niets. Ze zal haar ouders nog wel zover krijgen. Ze zou ook een prepaid kunnen vragen en dan de kaarten van haar zakgeld kopen. Daar zal ze het eens met haar ouders over hebben als ze thuiskomt. Ze is over zes weken jarig. Dan wordt ze eindelijk vijftien. Als je vijftien bent, ben je geen kind meer. Mirjam mocht, toen ze vijftien was, 's avonds tot tien uur wegblijven, op zaterdag zelfs tot elf uur. Dat gaat zij ook vragen. Zodat het niet meer kan gaan zoals afgelopen zaterdag, toen ze om half elf thuiskwam en haar ouders behoorlijk nijdig waren.

'Hé Amelie!'

Amelie blijft staan. Ze kijkt om zich heen op het plein. Riep daar iemand? De leerlingen stromen weer naar de schooldeuren, want de pauze is voorbij. Ze ziet geen enkel bekend gezicht uit haar klas.

'Amelie! Ik sta hier!'

Amelie draait zich om. De school is van de straat gescheiden door een strook gras en een halfhoge heg.

Achter de heg staat Nick, zijn beide armen in de lucht.

Amelie voelt dat ze vuurrood wordt. Verlegen kijkt ze om zich heen. Niemand let op haar, iedereen loopt, kletsend, lachend of duwend, naar de deuren die nu wijdopen staan.

Ooit, toen de school nog nieuw was en de leerlingen nog niet gewend waren aan de grote, doorzichtige glazen deuren, moet het een gedrang van jewelste zijn geweest voor de gesloten deuren. Het glas was geknapt onder druk van de opdringende scholieren en vier leerlingen waren met zware snijwonden naar het ziekenhuis gebracht. Sindsdien staan de deuren altijd open als er leerlingen in het gebouw zijn.

Amelie loopt naar het hek. Nick glimlacht naar haar. 'Ik schreeuw mijn keel schor,' zegt hij, 'maar jij reageert niet.'

'Ik heb je niet gehoord.'

'Omdat het hier een ongelooflijke herrie is. Man, die leraren van jullie moeten wel doof worden.'

'Ik heb ook wel eens medelijden met ze.' Amelie schiet in de lach. 'Geen idee waarom iedereen zo brult.'

Ze staan ieder aan een kant van de heg en lachen naar elkaar.

Een beetje dom, denkt Amelie. *Waarom zegt hij niets?*

'Ik heb de foto's mee', zegt Nick dan. Hij houdt een bruine envelop omhoog. 'Wil je ze zien?'

'Nu niet. De pauze is voorbij. Ik moet naar de klas. Zijn dat de foto's van Judith?'

Wanneer hij knikt, voelt Amelie een steek door haar buik. Zou Nick vergeten zijn wat hij afgelopen zaterdag tegen haar gezegd heeft?

'Judith is er vandaag niet', zegt ze nadat ze een paar maal haar keel geschraapt heeft. 'Ze is ziek, geloof ik.'

'Oh, wat naar voor haar.'

Amelie strekt haar hand uit naar de foto's. 'Maar ik wil ze haar wel brengen, als je het goed vindt.'

Nick houdt de envelop achter zijn rug. Hij lacht. 'Nee, zo gemakkelijk gaat dat niet. Hoe laat ben je uit?'

'Zoals gewoonlijk', zegt Amelie. 'Om vier uur dus.'

Nick kijkt op zijn horloge. 'Dan had ik al op de autoweg willen zitten.'

En je zei dat je tot dinsdag zou blijven, denkt Amelie, maar ze zegt niets.

Nick lacht. 'Oké, vier uur. Ik wacht daar.' Hij wijst naar het blok waarin een reiswinkel en een architectenbureau zijn gevestigd. 'In een zwarte BMW cabriolet.'

Amelies hart maakt een sprong. Hij rijdt met een zwarte BMW cabriolet! Niet verkeerd!

'Oké.' Ze zwaait nog even en holt dan naar de schooldeur. De conciërge staat al bij de deur. 'Vlug maar', roep hij als Amelie hem voorbij stuift.

Ze had het kunnen weten: hij is er natuurlijk niet. Hij heeft weer iets beloofd en zich daar niet aan gehouden. En hoewel ze zich vast voorgenomen heeft niet teleurgesteld te zijn (zoals Judith), is ze het op de een of andere manier toch. Het was niet gemakkelijk geweest de anderen af te schudden. Amelie en Judith verlaten meestal in een grote groep de school. Dan worden afspraken voor het weekend gemaakt, e-mailadressen uitgewisseld, schoolschriften vergeleken en de laatste roddels over een schoolfeest verspreid. Amelie is dol op dit kwartiertje tussen het uitgaan van de school en de bushalte. Daarna scheiden hun wegen zich. Eline, Judith en Amelie nemen de bus, sommigen halen hun fiets of worden met de auto opgehaald, zoals Michiel en Isabel. Amelie heeft zich, toen de les voorbij was, in het toilet verschanst. Daar heeft ze gewacht tot het schoolplein zo goed als leeg was. Ze heeft vijf minuten voor de spiegel doorgebracht om met behulp van een bruine viltstift haar wenkbrauwen over te trekken. Al weken heeft ze het er met Judith over dat ze haar wenkbrauwen wil verven. Ze zijn bijna net zo licht als haar haren en Judith heeft echt gelijk als ze zegt: 'Je gezicht zou veel meer spreken met sterkere wenkbrauwen en een mooi boogje.' Waarmee Judith eigenlijk niets anders zegt dan: je gezicht is niet zo sprekend.

Maar Amelie was niet beledigd. Amelie is nooit beledigd wanneer iemand commentaar op haar heeft. Ze vindt het eigenlijk allemaal ook wel. Dat haar borsten niet groeien, is maar een van de vele schoonheidsfoutjes waarmee ze worstelt. Terwijl ze wacht tot het lawaai in de school en buiten op het plein langzaam wegebt, telt ze in gedachten nog eens al haar tekortkomingen. Dat doet ze vaak. En elke keer voelt ze zich daarna beroerder. Dan zit ze thuis als een muisje aan tafel, glimlacht verlegen met gebogen hoofd, roert haar eten bijna niet aan en gaat steeds met haar vinger over de rand van haar glas of kopje. Steeds weer. Tot iemand in het gezin (meestal is het haar moeder) op een zeker moment roept: 'Amelie, wil je daar misschien mee ophouden?'

Dan krimpt Amelie verschrikt in elkaar en wellen er tranen op in haar ogen. Mirjam zucht dan telkens en zegt maar één woord: 'Puberteit'. Alsof dat hetzelfde betekent als gestoord. Maar goed, de schoonheidsfouten:

1. te kleine borsten
2. te lang bovenlijf

3. te grote voeten
4. te kleine handen
5. stomme navel (daarom heeft ze ook nooit een navelpier-
cing gewild zoals de helft van de klas)
6. haar te glad en te slap
7. ogen niet blauw genoeg (haar ogen zijn soms grijs, soms
groen, soms blauw, net hoe het licht valt en haar stemming
is)
8. lelijke oorlelletjes (daarom draagt ze nooit oorbellen)

Als Amelie al die punten voor de spiegel nog eens heeft
afgecheckt, haar handen gewassen en haar haren gekamd,
verlaat ze de toiletruimte.
De school is nu leeg. Ze zwaait haar rugzak op haar rug en
gaat op weg.
De laatste leerlingen draaien met hun fiets nog rondjes op
het plein. Een stel, dat kennelijk kersvers verliefd is, kan
niet van elkaar scheiden. Steeds weer omhelzen ze elkaar,
lopen weg, draaien zich om en hollen weer op elkaar af als in
een ongelooflijk sentimentele liefdesfilm. Amelie vindt het
altijd moeilijk om te kijken naar een verliefd stel dat elkaar
knuffelt. Ze vindt dat altijd vrij pijnlijk. Ze zou zelf nooit in
het openbaar met een jongen kussen. En al helemaal geen
tongzoen. Terwijl iedereen kijkt! Onbegrijpelijk!
Met gebogen hoofd gaat ze langs hen heen en blijft dan op
het trottoir staan om de bus te laten passeren. Eline, die als
altijd op de tweede bank bij het raam zit, trekt een grimas en
zwaait met haar armen. Waarschijnlijk betekent dat zoiets
als: 'Waarom ben je niet ingestapt? Ik heb heel lang gewacht.
Nu is het te laat.' Amelie zwaait en lacht. 'Geeft niets!' roept
ze, blij dat iedereen weg is.

Ze holt de straat over. Voor de stomerij staat een bestelauto geparkeerd en twee vrachtwagens hebben elkaar vastgezet voor de inrit van een portiek. Ze moet een boog om de auto's heen maken. Dan blijft ze staan en kijkt om zich heen. Daar waar Nick zou wachten, staat geen zwarte BMW cabriolet. Er staat helemaal geen auto.

Amelie haalt diep adem. Ze glimlacht opeens en strijkt haar haren van haar voorhoofd. Ze draait om haar as en doet alsof ze zich opeens bedacht heeft. De dikke dame van de stomerij kijkt naar haar. Amelie grijnst. De vrouw vertrekt geen spier.

Shit, denkt Amelie. *De bus is weg, wat moet ik nu?* Daar had ze rekening mee moeten houden. Nick heeft haar al een keer laten zitten. Waarschijnlijk behoort hij tot het soort mensen dat altijd van alles belooft en die beloften nooit nakomt. Misschien is het allemaal toch gelogen. In de bruine envelop zat vast iets heel anders dan de beloofde foto's. Een zwarte cabrio heeft hij ook niet. Zo'n slee kost een vermogen. Iemand die geld heeft, loopt niet altijd in hetzelfde poloshirt rond. *Hoe kon ik zo stom zijn?*

Ze beent met nijdige passen over het trottoir. Ze heeft geen idee waar ze nu naartoe moet: van school naar huis lopen is wel heel erg ver. Ze zou naar het station kunnen gaan en daar de bus nemen. Of naar het park. Het is toch lekker weer vandaag. Een beetje op een bank zitten en eendjes voeren of bij het café koffie drinken met een stukje appeltaart erbij. Goed idee. Of misschien hebben ze ook nog wel zo'n lekkere chocoladewafel. Daar heeft ze zin in. Iets zoets. Dat heeft ze nu nodig. Die shitvent. Dat overkomt ook alleen maar haar, dat ze daar intrapt. Lieve hemel, wat pijnlijk! En om hem heeft ze zich in de toiletten verstopt! En dan die act met de viltstift! Voor zo'n knul slooft ze zich uit en probeert ze haar wenkbrauwen te kleuren!

Nijdig wrijft ze met haar vinger over haar wenkbrauwen en loopt ondertussen naar de overkant van de straat.

Wanneer ze midden op de weg loopt, hoort ze plots getoeter en gierende remmen. Verschrikt blijft ze staan en kijkt op. Nog geen tien centimeter van haar been verwijderd staat een zwarte cabrio. Achter het stuur zit Nick. Hij grinnikt, draait met zijn ogen en slaat zijn hand tegen zijn hoofd. Allemaal tegelijk.

Amelie staat doodstil, fronst haar voorhoofd, kijkt naar de zwarte BMW cabriolet, dan naar Nick. Op de een of andere manier lukt het haar niet om de gedachten die ze daarnet nog had, in verband te brengen met de plotselinge verschijning van Nick. Hij maakt een hectisch gebaar met zijn handen om te beduiden dat ze van de weg moet gaan. Uiteindelijk begrijpt Amelie het. Ze stapt op het trottoir. Nick stuurt de auto in een leeg parkeervak, duwt het portier open en holt op haar af.

'Man, man, jij leeft gevaarlijk!'

'Hallo', zegt Amelie. 'Ik wist niet dat je nog zou komen.'

Nick kreunt. 'En daarom werp jij je meteen voor de eerste de beste auto?'

'Ik lette even niet op.'

'Dat kan je je leven kosten, meisje! En mij mijn rijbewijs. Wat een geluk dat de remmen pas nagekeken zijn. Ben je zo'n droomster soms?' Amelie schudt lachend haar hoofd. Ze duwt de riemen van haar rugzak iets verder naar boven en kijkt op. 'Geen idee, soms wel.'

Nick staart haar aan. En terwijl Amelie denkt, *waarom staart hij me zo aan*, barst Nick in lachen uit. 'Wat heb je met je wenkbrauwen gedaan?' Hij doet een stap in haar richting, steekt zijn hand uit om haar aan te raken. 'Is dat viltstift?' Hij buldert nu bijna van het lachen.

Amelie wordt vuurrood. Die stomme wenkbrauwen! Ze wil zich omdraaien en alleen nog maar weglopen, maar Nick houdt haar tegen. Hij lacht niet meer, zijn gezicht is serieus en aandachtig. 'Sorry', zegt hij zacht. 'Dat had ik niet moeten zeggen. Dat was stom. Maar ik ben fotograaf, weet je. Zoiets valt me meteen op. Anders was ik wel een heel slechte fotograaf.' Hij legt zijn arm om haar schouders, buigt zich naar voren en kijkt haar in het gezicht. 'Het was niet zo erg, toch? Je bent toch niet meer boos op me?'

Amelie weet niet of ze boos is op zichzelf of op hem en schudt daarom haar hoofd.

Nick lacht opgelucht. 'Goed,' zegt hij, 'we moeten eerst maar eens wat drinken voor de schrik. Stap in! Waar heb je zin in?'

'In het park', zegt Amelie aarzelend, 'is een café. Daar hebben ze de allerlekkerste chocoladewafels van de hele wereld.'

'Wil je dat echt?' vraagt Nick. Hij doet het portier van de auto voor haar open.

'Wat?' Behoedzaam laat ze zich in de zwartleren bekleding zakken. *Voelt lekker*, denkt ze en ze strijkt even met haar hand over het leer.

'Zoete dingen. Veel meisjes van jouw leeftijd eten alleen maar zoete dingen.' Hij kijkt haar glimlachend aan. 'Dat is natuurlijk wel voorbij als we aan het werk gaan.' Hij loopt om de auto heen, gaat achter het stuur zitten en start de motor.

'Welk werk?'

'Fotograferen. Wat anders? Maar vooruit, vandaag eten we nog een keer chocoladewafels.'

Voordat hij wegrijdt, geeft hij haar een knipoog. Eén seconde denkt Amelie: *Hij praat tegen me als tegen een kind, alsof ik nog een baby ben. Net als Mirjam vroeger tegen me praatte. Vooruit, vandaag nemen we een taartje, omdat je zo zoet geweest bent. Man, wat verbeeldt hij zich eigenlijk?*

Het is bijna negen uur wanneer Nick Amelie voor de huisdeur afzet. De zon is al lang onder, in huis brandt licht, de straatlantaarns verlichten het zwarte asfalt.

Pas nu Amelie het raam van de woonkamer inkijkt en haar ouders daar als silhouetten ziet bewegen, dringt het tot haar door dat ze in de nesten zit.

Ze neemt haastig afscheid en springt uit de auto. Ze holt naar de tuindeur.

In de carport staat de auto van haar vader; Mirjams fiets staat tegen de muur.

Amelie zoekt in haar rugzak naar de huissleutel. De banden van de rugzak slaan tijdens het lopen tegen haar benen.

'Hé, Amelie!'

Amelie blijft staan en draait zich om naar Nick. Hij zwaait met de bruine envelop met de foto's. 'Die ben je vergeten!'

Ze loopt terug, grist de envelop uit zijn handen, roept haastig 'dag' en holt weer naar huis.

Wanneer ze de deur opendoet, hoort ze hoe de auto wegrijdt. Op hetzelfde moment klinkt de stem van haar moeder. 'Ik geloof dat ik haar hoor!'

Amelie staat in de hal. Tegenover haar staan haar vader en haar moeder. Mirjam is neuriënd in de keuken bezig.

'Hallo.' De stem van haar vader moet vriendelijk zijn, maar zijn gezicht vertelt het tegendeel. Zijn voorhoofd is gefronst, zijn lippen vormen een streep. Hij heeft zijn vuisten diep in de zakken van zijn blauwe huisjasje gestopt.

Amelie doet alsof ze de spanning niet merkt. Nadrukkelijk nonchalant hangt ze haar spijkerjasje aan de kapstok en legt haar sleutels in de bak in de garderobe.

'Waar ben jij geweest?' vraagt haar vader. Hij vraagt het vriendelijk.

'Overal', doet Amelie ontwijkend.

Ze wil langs haar moeder heen de kamer ingaan, maar haar moeder wijst naar de bruine envelop. 'Wat is dat?'

Amelie drukt de envelop tegen zich aan. 'Dat is mijn zaak. Jullie willen altijd alles weten!'

Ze ziet de schrik, het wantrouwen in de ogen van haar moeder.

'Je hebt mijn vraag niet beantwoord', zegt haar vader kalm. 'Waar ben je geweest?'

Amelie kreunt. 'Lieve help zeg, het is nog geen negen uur! En ik mag tot negen uur wegblijven.'

'Ja, als je van tevoren vertelt waar je naartoe gaat.'

'Je bent helemaal niet thuisgekomen uit school'. De toon van haar moeder is verwijtend. 'Heb je wel gegeten?'

Mirjam neuriet niet langer. Ze komt met een theedoek en een bord vanuit de keuken de gang in. Ze glimlacht naar Amelie. 'We hebben spaghetti gegeten', zegt ze. 'Zal ik de saus nog even opwarmen?'

'Ik heb geen trek.' Amelie drukt nog altijd de bruine envelop tegen zich aan. Ze heeft het gevoel dat de familie een ring om haar heen vormt, een vesting waar ze niet doorheen kan breken.

Koppig kijkt ze haar vader aan. 'Ik ben met wat vrienden op stap geweest. We hebben wat gekletst en toen is het later geworden. Ik heb geen huiswerk. Kan ik nu eindelijk naar mijn kamer?'

Haar vader knikt zwijgend en doet een stap opzij. Amelie
pakt haar rugzak, maar bedenkt zich dan. Eerst wat drinken!
Ze laat alles vallen en loopt naar de keuken. In de koelkast
staat geen mineraalwater meer, geen appelsap, geen
frisdrank. Ze moet naar de eetkamer en zoekt daar naar de
schaar om het pak appelsap te openen. Ze pakt een glas uit
de kast, schenkt appelsap in en drinkt. Vanaf de gang klinkt
geen enkel geluid. *Misschien zijn ze naar de zitkamer gegaan.*
Ze gaat met het glas naar de gang. Daar staat Mirjam met
de bruine envelop in haar handen. De envelop is open. Ze
bladert door de afdrukken.
'Hé,' roept ze, 'hebben jullie foto's gemaakt?'
Amelie staat in één pas naast haar, wil de foto's weggrissen,
maar dan klotst het appelsap over de rand. 'Geef hier!' Haar
stem is hoog en schril. 'Dat gaat je niets aan!'
Mirjam grijnst. 'Ah, de kleine meid is boos! Wat is er met je
aan de hand, zusje?' Mirjam houdt de foto's hoog boven haar
hoofd. Amelie wil ernaar grijpen, springt omhoog, verliest
haar evenwicht. Mirjam krijst als het glas op haar voeten valt.
'Kijk uit, stomme koe! Dat zijn mijn nieuwe schoenen!'
'En nu is het afgelopen!'
Haar vader komt de gang in, pakt Amelie bij haar schouders
en trekt haar achteruit. Mirjam bukt zich en raapt de
scherven op.
'Zijn jullie helemaal gek geworden?'
'Het is Mirjams schuld!' Amelie kan haar zus wel wurgen! Ze
maakt zich los, holt naar de keuken, pakt een handdoek en
veegt daarmee de vloer.
'Wat zijn dat voor foto's?' vraagt haar vader.
'Geen idee', zegt Mirjam. 'Dat moet je aan Amelie vragen!'
Nu verschijnt ook haar moeder weer. Zwijgend steekt vader

haar de foto's toe. Haar moeder bekijkt ze, nieuwsgierig, aandachtig.

Amelie dweilt de vloer en kijkt niet op.

'Dat zijn goede foto's', zegt haar moeder langzaam. 'Ze lijken wel van een pro.'

'Ze zijn ook van een pro.' Amelie richt zich op en veegt haar haren van haar voorhoofd. Haar gezicht gloeit van boosheid en nervositeit. 'En als jullie nu genoeg gekeken hebben, kan ik ze dan eindelijk terugkrijgen? Ze zijn van Judith.'

'Een knap meisje, die Judith. Dat ze zich zo laat fotograferen.' Amelies moeder houdt een foto omhoog, waarop Judith staat met naar achteren gestoken achterwerk en een ondeugend lachje. 'Een beetje vulgair.' Ze bladert verder. Stopt. 'Oh,' zegt ze, 'dit is Amelie.'

Amelie voelt hoe het bloed in haar oren suist. Haar moeder kijkt naar haar vader en samen kijken ze naar de foto.

Amelie heeft de foto die middag al minstens honderd keer bekeken. Hoe ze het bandje van haar bikini omhoogduwt en hoe je daarbij een heel klein stukje van haar tepel kunt zien. Eerst vond ze die foto ongelooflijk pijnlijk, maar Nick heeft haar gerustgesteld. 'Kom op,' heeft hij gezegd, 'je ziet toch helemaal niets. Je hebt een vrij jongensachtige boezem. Net als Kate Moss. Dat is helemaal niet ordinair, maar eigenlijk alleen maar mooi. Een snapshot. Je hebt het niet voor de camera gedaan. Ik heb me gewoon toevallig omgedraaid. En – voilá!' Hij had gelachen en een lok van haar haren achter haar oor gedaan. 'Neem van mij aan, ordinaire foto's zijn heel anders.'

Haar vader pakt de foto's, stapelt ze in gedachten verzonken op elkaar. 'Denk je niet', zegt hij, 'dat je ons een verklaring schuldig bent?'

Amelie vindt dat eigenlijk niet, maar ze kent haar ouders. Ze weet dat er geen geheimen in het gezin mogen zijn, dat je altijd alles moet zeggen. Daarom hebben haar ouders ook een probleem met de vriend van Mirjam, omdat Leo zo anders is, omdat hij nooit met zijn ouders praat en zij eigenlijk niet weten hoe hij zijn tijd doorbrengt.

Dus vertelt ze: over de warme dag in juli toen ze met Judith naar het natuurbad was. Ze zegt niets over de bikini, ook niets over haar bleke buik. Ze vertelt alleen maar de belangrijkste feiten, hoe ze op het ponton een jonge fotograaf hebben ontmoet, die met behulp van Judiths duikbril kleurspectra heeft gefotografeerd.

'Die foto's', zegt haar moeder vinnig, 'zie ik hier niet. Alleen maar foto's van een meisje met vrij weinig kleren aan.'

Amelie werpt Mirjam een smekende blik toe. Mirjam begrijpt het.

'Niet overdrijven, mama,' zegt ze, 'Judith draagt toch een heel normale bikini.'

'Alsof het tegenwoordig normaal is, dat je praktisch je hele achterste onbedekt laat', windt hun moeder zich op.

Amelie en Mirjam draaien met hun ogen. Hun moeder werkt op het kantoor van een kerkelijk sociaal instituut. Vroeger, toen ze nog bij een advocaat werkte, was ze veel ruimdenkender. Toen kon je met haar nog lekker gaan shoppen. Toen kon je haar ook nog de nummers van de hitlijsten laten horen. Maar sinds ze voor die kerk werkt, gaat hun moeder op zondag zelfs (minstens één keer per maand) naar de kerk. Altijd als pastoor Oosting preekt. Dan dweept ze met rode wangen over de geestelijke diepte van zijn woorden.

'Ik ben maar geïnteresseerd in één ding.' Haar vader heeft weer zijn vuisten in zijn jaszakken gestoken. 'Betekenen die foto's dat je vandaag die fotograaf weer ontmoet hebt? Dat het niet een eenmalige zaak was? Je hoeft alleen maar ja of nee te zeggen.'

Amelie krimpt ineen. Ze weet wat haar ouders allemaal vermoeden als ze toegeeft dat ze de hele middag met Nick heeft doorgebracht. En het was zo onschuldig. Ze hebben ergens bij een bosrand foto's gemaakt, tegen de ondergaande zon, op een stapel hout. Ze moest met haar rugzak in de lucht springen en op de motorkap van Nicks auto gaan liggen. De lak was heel warm geweest door de zon en ze had bijna haar bovenbeen verbrand, omdat ze voor die foto's haar spijkerbroek uit moest doen en alleen in een slip en een spijkerjasje had geposeerd. Nick had met zijn camera steeds om haar heen gedanst. 'Geweldig, dat doe je grandioos, baby. Kijk nu eens hierheen. Buig je knie nog iets meer. Lach eens naar me...' Het was vrolijk, opwindend en helemaal niet vermoeiend.

Maar haar preutse ouders zijn in staat alles kapot te maken. Zelfs de herinnering aan een heerlijke middag.

'Ik heb hem maar even gezien', zegt ze daarom ontwijkend – en met neergeslagen blik. Ze kan haar ouders gewoon niet aankijken als ze liegt.

'Hij wilde ons alleen de foto's geven, Judith en mij. Maar Judith was vandaag niet op school. Ik zal haar straks even bellen om te vragen wat er aan de hand is.'

'Dus je was alleen met die fotograaf', stelt haar vader laconiek vast.

'Lieve hemel, ja!' roept Amelie. 'En dan? Zoals je alleen al zegt: *die fotograaf*. Hij heet Nick en zijn moeder woont hier in de buurt. Als dat je gerust kan stellen. En hij is net terug uit Mexico.'

'Hebben jullie weer foto's gemaakt?' vraagt Mirjam nieuwsgierig. Ze bekijkt de foto's aandachtig. 'Ziet er wel top uit wat
hij maakt.'

Amelie heeft genoeg van het familieverhoor. Ze gaat op weg
naar haar kamer. Wel houdt ze er rekening mee dat er ieder
moment nog een vraag op haar rug afgevuurd zal worden.
Maar het blijft stil. Met een zucht van opluchting knalt
Amelie de deur achter zich dicht. Ze laat zich op het bed
vallen zonder haar schoenen uit te doen. De envelop vliegt
op de grond. Opeens voelt ze zich zo ellendig dat ze het liefst
zou huilen. Op de een of andere manier lukt het haar ouders
en haar zus altijd weer alles te bederven. Waarom is dat zo?
Waarom gunnen ze haar deze kans niet? Mirjam roept altijd
dat ze haar zelfvertrouwen moet opbouwen, maar als ze dat
dan een keertje wil doen, kat ze haar af. Amelie snikt. Ze
drukt haar gezicht tegen haar hoofdkussen en voelt hoe de
sloop nat wordt van haar tranen.

De deur gaat open. Haar hart stokt even. Ze houdt haar adem
in. Er gaat iemand op de rand van haar bed zitten. Het is haar
moeder. Ze schraapt haar keel. 'Liefje, kijk me aan.' Haar
stem is heel zacht.

Met tegenzin haalt Amelie het kussen weg. Maar ze staart
naar het plafond.

'Sinds wanneer gaan we met schoenen op het bed liggen?'
Haar moeder trekt haar veters los en trekt Amelie haar
gymschoenen uit. Het verbaast Amelie dat er geen enorme
preek volgt, zoals anders. Ze wacht wat er komen gaat.

'Als je zo graag mooie foto's van jezelf wilt hebben, had je dat
toch kunnen zeggen. Ik kan je ook fotograferen. Hier in de
tuin. Of in huis. Of als je gaat wandelen. Of als je liever foto's
van jezelf in je kamer wilt...'

Amelie schudt vermoeid haar hoofd. 'Jullie begrijpen er niets van.'

'Leg het me dan uit.'

Haar moeder streelt haar schouders. Maar Amelie draait zich om naar de muur en perst haar lippen op elkaar.

'We zijn gewoon boos omdat je zonder iets te zeggen weggebleven bent. We maken ons gewoon zorgen om je, omdat je altijd zo argeloos bent. Zo naïef.'

'Ik ben helemaal niet argeloos', bromt Amelie.

'Die fotograaf, die Nick...' begint haar moeder weer. *Lieve hemel,* denkt Amelie, *stopt het dan nooit?*

Amelie houdt haar adem in, draait zich langzaam om en kijkt haar moeder aan. 'Ja?'

Haar moeder glimlacht en streelt haar hand. 'We vinden het beter als je het contact verbreekt. Je begeeft je in een gevaar dat je nog niet helemaal kunt inschatten.'

Amelie schiet overeind. 'Het contact verbreken?' Ze gooit het dekbed terug en gaat voor haar moeder staan. 'En waarom dan wel?'

Nog altijd glimlacht haar moeder. Ze wil Amelies handen pakken, maar Amelie trekt ze met een koppig gezicht weg.

'Kijk', zegt haar moeder zacht. 'Je kent die man helemaal niet. Je weet niet eens of hij werkelijk fotograaf is.'

'Hij heeft me zijn visitekaartje gegeven', antwoordt Amelie.

'Visitekaartjes kun je overal via internet laten drukken. Dat bewijst helemaal niets. Maar zelfs als hij wel echt fotograaf is - hoe kun jij dan weten of hij serieus is? Dat hij met die foto's geen domme dingen doet?'

'Wat voor domme dingen?'

'Hij zou ze op internet kunnen zetten of ze aanbieden aan een of ander dubieus tijdschrift...'

Amelie staart haar moeder ontdaan aan. 'Wat jij allemaal niet bedenkt!'

'Ik loop al een beetje langer mee in het leven dan jij. En ik weet dat sommige mensen heel veel geld verdienen door gebruik te maken van de naïviteit van jonge meisjes. Je bent beschermd opgegroeid, lieve schat, je weet niet hoe meedogenloos het leven kan zijn. Hoe moet het als hij je overhaalt om naar party's te gaan? Drugs te nemen?'

'Mama, het gaat niet om de boosaardige wereld en helemaal niet om party's en drugs. Het gaat er alleen maar om dat iemand me mooi vindt en foto's van me wil maken en me de kans geeft om model te worden. Dat is een te gekke kans, mama. Vraag op school willekeurig iemand uit het vierde, vijfde of zesde jaar. Ze willen allemaal het liefst model worden.'

'Omdat ze verleid zijn. Door tijdschriften, castingprogramma's, door alle berichten in die domme boulevardrubrieken op televisie! Daar wordt de modewereld met veel glamour en schone schijn beschreven.'

'Is dat dan niet waar? Kijk zelf wat er met Heidi Klum gebeurd is! Ze is een van de rijkste en beroemdste en ook nog eens populairste vrouwen ter wereld. Een echte ster. Iedereen verafgoodt haar.'

'En al die anderen?' Haar moeder staat op, streelt Amelies gezicht. Amelie draait haar gezicht af, doet haar armen afwerend voor haar borst.

'Al die meisjes die anorexia hebben, alleen om te voldoen aan het schoonheidsideaal! Weet je dat de meeste modellen cocaïne gebruiken om dun te blijven? Of om de stress aan te kunnen? Cocaïne is een levensgevaarlijke drug, Amelie, en je vader en ik willen je beschermen voor een toekomst waaraan je kapot kunt gaan.' Amelies moeder glimlacht bijna smekend. 'We verbieden het je toch niet omdat we je een heerlijk avontuur misgunnen. We willen je behoeden voor onnodige teleurstellingen en pijn, lieve schat.'

Amelie draait wanhopig met haar ogen. 'En als jullie dat nu eens aan mij zouden overlaten? Jullie hebben toch altijd gezegd dat we vrij zijn in onze beslissingen? Dat jullie supertolerante ouders zijn, die hun dochters begrijpen. En waarom loopt dat de eerste de beste keer dan al mis? Als ik een keer een beslissing heb genomen waarover ik jullie mening niet heb gevraagd? Waar is die nu, die enorme tolerantie van jullie?'

Haar moeder bukt zich zwijgend, raapt de foto van Amelie op en kijkt ernaar. 'In werkelijkheid', zegt ze, 'ben je veel knapper. Je glimlach is in het echt veel natuurlijker. Heel anders. Dit hier op de foto ben jij niet. Dat is iemand die ik niet ken.'

Amelie rukt de foto uit haar moeders hand. 'Goed! Dank je wel. Het zou me ook verbaasd hebben als die foto jullie zou bevallen. Ik weet precies wat jullie denken. In dit gezin is Mirjam de mooiste. Niet soms? Dat denken jullie toch! Ik ben altijd het lelijke eendje geweest. En nu willen jullie weer niet weten dat jullie je misschien vergist hebben!'

Haar moeder schudt haar hoofd. Slaakt een diepe zucht. 'Schat, je staart je blind op iets. Je denkt toch niet serieus dat je vader en ik je minder vinden? Dat we niet net zo veel van jou houden als van Mirjam? Dat we je niet knap vinden?'

Amelie kijkt niet naar de foto. Ze scheurt hem gewoonweg doormidden. En de foto's van Judith meteen ook. Dan duwt ze haar moeder haar kamer uit. 'Mama, ik wil nu echt heel graag alleen zijn.'

Die nacht droomt Amelie dat ze wegloopt. Ze pakt haar koffer en ziet elk afzonderlijk kledingstuk dat ze inpakt, precies voor zich. Ze kijkt toe hoe ze de truien opvouwt, de spijkerbroeken, shirts, rokken gladstrijkt en zorgvuldig inpakt. Hoe ze in de badkamer haar spullen inpakt en stiekem Mirjams lippenstift in haar toilettas stopt. Dan sjouwt ze haar koffer naar de voordeur. Haar ouders staan in de hal. Ze hebben plakband over hun mond, zodat ze niet kunnen praten.

Amelie glimlacht naar hen, zegt 'Dag mama' en 'Tot binnenkort, papa' en legt haar voordeursleutel in de bak. 'Die heb ik nu niet meer nodig.' Dan loopt ze weg.

Buiten is het zo helder licht alsof er schijnwerpers branden. Er staan mensen bij elkaar op straat, bekenden, buren, maar ook volkomen onbekenden en een groep fotografen, die iets roepen, iets willen: 'Amelie, hier! Amelie, glimlach eens. Amelie, hoe voel je je?'

Amelie glimlacht. Ze blijft staan zonder haar koffer los te laten, ze glimlacht in elke camera, ze maakt haar lippen nat met haar tong, zoals ze van Nick heeft geleerd, ze duwt haar kin naar voren en spert haar ogen wijdopen, zoals Nick heeft gezegd dat het moet.

Dan wijkt de menigte uiteen en Amelie ziet Nick in een zwarte polo en een lichte linnen broek tegen zijn auto geleund staan. Hij heeft zijn armen over elkaar en glimlacht. Amelie begint te lopen. Ze hoort het klikken van camera's, het gejoel van de mensen. Nick maakt zijn armen los, duwt zich van de motorkap en doet het portier open.

Amelie glimlacht naar hem. Hij buigt voor haar. Ze stapt in. Nick zegt iets tegen de andere fotografen, loopt dan om de auto heen en gaat achter het stuur zitten.

Wanneer Amelie achterom kijkt naar het huis van haar ouders, ziet ze haar moeder voor het raam. Het lijkt alsof ze nog iets wil roepen. Ze heeft haar handen als een trechter om haar mond gelegd. Maar Amelie kan haar niet verstaan. Ze zwaait nog een keer vrolijk en dan rijden ze weg.

Die morgen is Amelie zo van slag dat ze even de weg kwijt is. Ze heeft nooit eerder zo realistisch gedroomd. Het lijkt wel of ze echt weggegaan is. In haar droom was ze zo blij. Als een vogel waarvan de deur van de kooi opengezet is en die te horen heeft gekregen: 'Vlieg maar naar waar je wilt. Word gelukkig.'

Ze was in haar droom een vogel, ze was vrij. En gelukkig. En nu kijkt ze om zich heen en ziet haar koffer bovenop de kast liggen. Haar spullen allemaal geordend op de planken. Haar schoolboeken op het bureau. De foto's aan het prikbord. De wekkerradio met het rode lampje dat net zo lang blijft knipperen tot Amelie het uitzet. Ze is met muziek gewekt, zoals elke ochtend. Eén moment lang dacht ze echter dat ze de muziek in de auto hoorde, op de passagiersplaats van een zwarte BMW cabriolet. Daarnet nog liep ze langs een meer. Langs een blauw meer met op de andere oever witte hotels, Nice misschien of Monte Carlo.

En nu ligt ze in haar kamer... Uit de keuken komen de dagelijkse geluiden, zoals het koffiezetapparaat, ze hoort hoe Mirjam onder de douche zingt, buiten rijdt een vuilnisauto voorbij en maakt een hels kabaal. Het vuil wordt in de auto meteen fijngehakt en geperst, een nieuwe manier. In

Amerika bestaat zoiets al heel lang, heeft haar vader gezegd. In Amerika is ook een modellenagentschap, dat IMG Models heet. Als je door dat agentschap wordt geselecteerd, heb je het gemaakt, beweert Nick. Dan hoor je automatisch tot de top-honderd van de modewereld, dan krijg je opdrachten over de hele wereld. IMG is het beste agentschap. Het heeft een vestiging in Parijs, zegt Nick, een in Londen, in Milaan, Hongkong en een in New York. *Ach, was ik maar weg,* denkt Amelie, *had ik die stomme koffer daar boven op de kast maar echt gepakt.*

Er wordt op de deur geklopt. Amelie reageert niet.

'Het is tien over zeven!' roept haar moeder. 'Ben je wakker, schat?'

Ze zegt 'schat', maar ze komt niet binnen. Anders kijkt haar moeder altijd om een hoekje. Vandaag niet.

Amelie heeft geprobeerd de foto's weer aan elkaar te plakken, maar het is niet gelukt. Dus zijn de foto's in de vuilnisbak terechtgekomen. Haar vader heeft gisteravond de vuilnisbak al aan de weg gezet en nu worden de foto's door de grote vuilnisinstallatie fijngehakt en geprakt, samen met yoghurtbekers, sinaasappelschillen, etensresten. Weerzin-wekkend. Afschuwelijk.

Amelie draait zich op haar andere zij, drukt haar oogleden stevig op elkaar en probeert de droom terug te halen. Hoe ze de huisdeur uitstapte en werd verblind door het licht van de schijnwerpers, hoe iedereen haar iets toeriep. Ook haar moeder heeft iets geroepen, haar moeder stond bij het raam met haar handen als een trechter voor haar mond... Nee, ze wil niet aan haar moeder denken.

Nu hoort ze haar vader in de hal: 'Heeft iemand mijn zwarte schoenen gezien?'

Alsof zij zijn zwarte schoenen zou aantrekken. Hij heeft ze vast naast de voordeur gezet, omdat hij ergens in gestapt was. Als Amelies vader hondenpoep aan zijn schoenen heeft, wordt hij gek. Dan laat hij de schoenen gewoon buiten staan. Alsof hij erop wacht tot de kabouters ze voor hem schoonmaken.

'Ze staan hier in de keuken, onder de tafel!' roept Amelies moeder.

Gelukkig, denkt Amelie, stress over hondenpoep zou ze vanmorgen niet aankunnen.

Mirjam bonst op haar deur. 'Amelie, heb je mijn lippenstift?'

Amelie zit rechtop in bed. 'Wat?'

'Of je mijn lippenstift hebt!'

Mirjam duwt de kamerdeur open. Ze is al aangekleed. Ze heeft een ander kapsel en een nieuwe make-up. Mirjam maakt zich tegenwoordig op als ze naar school gaat. In het begin hebben haar ouders gemopperd, maar nu zeggen ze niets meer. Tegenwoordig komen meisjes van het eerste middelbaar al met lila gelakte nagels op school en hebben kinderen van elf een piercing. Ook haar vader heeft zich daarbij neergelegd. Eerst probeerde hij dergelijke dingen te verbieden, maar toen hij merkte dat hij zich daarmee alleen maar belachelijk maakte, heeft hij het onderwerp wijselijk niet meer aangeroerd. Sindsdien maakt Mirjam zich elke morgen op. Make-up, eyeliner, wenkbrauwpotlood, mascara, alles.

'Ik heb je lippenstift niet', zegt Amelie. *Wel,* denkt ze, *in mijn droom heb ik hem meegenomen.*

'Waar is dat verdomde ding dan terechtgekomen?' tiert Mirjam.

'Misschien ergens afgegleden?' zegt Amelie.

Mirjam zucht. Ze kijkt Amelie aan. ' Heb jij vandaag het eerste uur vrij?'

'Nee.'

'Waarom sta je dan niet op?'

'Omdat ik geen zin heb.'

Mirjam maakt een grimas. 'Hoeveel procent van de leerlingen heeft zin om naar school te gaan als de wekker 's morgens gaat, denk je? Ongeveer nul komma nul één procent.'

Amelie glimlacht. Mirjam vindt school geweldig, weet Amelie. Bovendien heeft ze altijd goede cijfers en zijn alle leraren dol op haar. Mirjam heeft echt geen reden om een hekel te hebben aan school. Ze wil alleen vriendelijk zijn, maar daar is Amelie niet echt mee geholpen.

'Heb je een nieuwe trui?' vraagt Amelie.

Mirjams trui is wit en heeft heel wijde vleermuismouwen, die je vijf keer kunt omslaan. Dat ziet er geweldig uit. De kraag is heel dun opgerold en in de taille is de trui heel strak. Hij benadrukt Mirjams figuur. Mirjam heeft een geweldig figuur.

'Van Leo gekregen', zegt Mirjam.

'Wat?' vraagt Amelie. 'Geeft hij je zulke dure dingen?'

'Dat is liefde.' Mirjam grijnst.

'Heeft hij dan zo veel geld?'

'Geen idee.' Mirjam haalt onverschillig haar schouders op. 'Hij betaalt wel altijd als we uitgaan. Heel handig.'

Amelie neemt haar zus onderzoekend op. Mirjam praat zo koel over Leo. Heel anders dan eerst. Misschien is er iets gebeurd. Maar daar wil ze liever niet naar vragen. Als haar iets dwarszit, vertelt Mirjam het uit zichzelf of helemaal niet. Vragen heeft geen zin. Dat vindt Amelie prima.

'Hoe is hij eigenlijk?' vraagt Mirjam, terwijl ze doet alsof ze nieuwsgierig de foto's aan het prikbord bestudeert. Allemaal kiekjes die hun ouders ooit hebben gemaakt. Allemaal foto's van haar ouders en Mirjam. Geen enkele van Amelie zelf. Omdat ze nooit leuk op foto's staat. Bovendien vindt Amelie het stom om foto's van zichzelf aan de muur te hangen. Met de foto van Nick zou dat anders geweest zijn, maar die is nu in de vuilnisauto fijngestampt.

'Wie?' vraagt Amelie. 'Hoe is wie?'

'Die fotograaf.'

'Heel aardig', zegt Amelie.

Ze zit op de rand van het bed en laat haar benen bungelen. Ze doet een paar oefeningen voor haar rug. Ze heeft altijd rugpijn. De orthopeed denkt dat haar rechterbeen misschien een paar millimeter korter is dan haar linker. Maar hij zegt: 'Dat kan nog in orde komen.' Nu wacht Amelie tot haar rechterbeen een paar millimeter meer groeit. Soms doet ze ook oefeningen met haar voeten, laat ze rondjes maken, trekt haar tenen aan en buigt ze weg, dat soort dingen. Heeft de orthopeed geadviseerd, maar of het helpt, weet hij zelf niet. Dat haar rechterbeen korter is dan het linker, heeft ze niet tegen Nick gezegd. Het is hem ook niet opgevallen. Nu vindt ze het pijnlijk dat ze het niet gezegd heeft. Misschien is hij er later boos om. Als de foto's van gistermiddag goed zijn, wil hij ze voor een modellenwedstrijd insturen. Hij denkt dat Amelie kans maakt op een plaats in de top. Het is een wedstrijd die in meerdere Europese landen wordt gehouden. Nick is daar op de een of andere manier bij betrokken, maar hoe precies weet ze niet. 'Je moet niet zo nieuwsgierig zijn, kleine meid', zei hij en gaf haar een tikje op het puntje van haar neus. Alsof ze nog een baby is. Dat irriteerde haar een beetje, maar dat was dan ook het enige wat ze die dag niet prettig vond.

'Heel aardig. Zo, zo', herhaalt Mirjam, draait zich om en monstert haar zusje. 'Heeft hij eigenlijk gezegd wat hij van je wilt?'

Amelie wordt rood. Dat van die modellenwedstrijd gaat ze niet vertellen, aan niemand. Zelfs niet aan Judith. Ze bijt nog liever het puntje van haar tong. Want Nick heeft het niet over Judith gehad. Hij heeft het gisteren helemaal niet meer over Judith gehad.

Hij wil alleen haar fotograferen voor de wedstrijd en verder niemand. Zo heeft ze dat in elk geval begrepen. En zolang het niet zeker is of het ook gaat lukken, zal ze haar mond houden. Zelfs al vraagt Mirjam haar het hemd van het lijf.

'Nee, heeft hij niet gezegd.'

'Maar op een gegeven moment zal hij toch iets willen', dringt Mirjam aan.

'Op een gegeven moment wil iedereen iets van een ander', zegt Amelie. 'Leo wil toch ook iets van jou, of niet?'

'Hallo!' Mirjam fluit tussen haar tanden door. 'Heeft hij echt met je geflirt?'

Mirjams stomme opmerking maakt Amelie hels, ze slaat met haar vuist op haar hoofdkussen. 'Man, laat me met rust. Nick en ik...' Ze haalt diep adem. 'Er is niets. Hij heeft alleen die foto's gemaakt, die in het zwembad. Dat is alles.' Ze staat op, smijt het kussen op het bed en duwt Mirjam weg. 'Kun je even ruimte maken misschien? Ik moet me aankleden.'

Mirjam monstert haar zusje zwijgend, buigt zich dan voorover, geeft Amelie een kus op haar wang en fluistert: 'Pas goed op jezelf, zusje, het leven is gevaarlijk.'

'Ha ha.' Amelie duwt Mirjam naar de deur. 'Ik ben geen baby meer. Ik kan heus wel op mezelf passen. Dank je wel, hoor!'

3

Judith kon het niet geloven. 'Je hebt mijn foto's verscheurd? *Mijn foto's?'*
Ze was bijna hysterisch van woede, ijsbeerde voor Amelie heen en weer, trillend van boosheid, tranen in haar ogen, bleef voor haar staan, staarde haar aan alsof ze Amelie het liefst wilde vermoorden. 'En nu liggen ze op de vuilnisbelt? Geweldig!' Ze beet op haar lippen tot ze bloedden. 'En nu?'
Amelie schokschouderde hulpeloos. 'Weet ik ook niet.'
'Waarom heeft hij jou die foto's eigenlijk gegeven? Het zijn toch mijn foto's?'
'Je was ziek! Je was niet op school. Dat heb ik al honderd keer gezegd. Hemel Judith, ik vind het zelf net zo erg, maar wat kan ik nu doen?'
Amelie wist heel goed wat ze zou kunnen doen. Maar dat zei ze niet. Ook over de opnamen, gistermiddag bij het bos, heeft ze niets gezegd. Ze heeft het niemand verteld. Het is haar heerlijkste en belangrijkste geheim.
'En je hebt hem niet om zijn telefoonnummer gevraagd?'
Judith kan het gewoon niet geloven. 'Je hebt de foto's aangepakt en... ja, en wat?'
'Ik weet het niet meer', jokt Amelie. 'Het ging allemaal zo

snel. Hij was er opeens in de grote pauze en toen zei hij dat hij de foto's had en dat we elkaar na schooltijd zouden zien.'

Sindsdien is er een lelijke knauw in hun vriendschap. Eigenlijk is alles anders. De mensen in haar omgeving gedragen zich opeens zo vreemd. Amelie begrijpt niet hoe dat kan. Niemand is gewoon aardig tegen haar, zonder bijgedachten, gewoon onschuldig vriendelijk, zoals Amelie ook probeert altijd vriendelijk tegen iedereen te zijn. Dat vindt ze in elk geval. Maar sinds die middag met Nick lijken de mensen opeens wantrouwiger, een beetje vreemd en als ze niet vreemd doen, werken ze Amelie op de zenuwen. Ze heeft die heerlijke droom nooit meer gedroomd. Over het pakken van de koffer en het vliegen. Over weggaan. De droom met al die journalisten voor het huis. Hoe ze juichten en klapten en haar allerlei goeds toewensten. Amelie heeft het gevoel alsof ze omringd is door vijanden. Ze weet dat niemand haar het succes zou gunnen, de triomf als ze inderdaad voor de modellenwedstrijd zou worden uitgekozen.

Maar waarschijnlijk wordt ze toch niet uitgekozen. Nick had anders toch allang gebeld. In november is de voorselectie, in Brussel, en dan volgt de echte grote modellenwedstrijd, vier weken later, ergens in december, in het Palace Hotel in St. Moritz, in Zwitserland.

'Het duurste hotel van heel Zwitserland', heeft Nick gezegd. 'Daar komen de rijkste mensen. Ze vliegen per helikopter naar de skioorden in de bergen. En in februari komt iedereen weer om te kijken naar een polowedstrijd op het bevroren meer. Moet je je voorstellen: polo op het ijs. Iets exclusievers is er op de hele wereld niet te bedenken. Waar je ook kijkt: miljonairs, filmlui, reclamemensen. En je kunt met iedereen netwerken. Echt de top!'

Amelie koopt soms wel eens een blad over filmsterren en modellen. Daarin staan allerlei verhalen over fotomodellen. Gisele Bündchen, de vriendin van Leonardo di Caprio of liever zijn ex-vriendin, gaat binnenkort een eigen modecollectie voor Dolce & Gabbana ontwerpen. Heidi Klum poseert, maakt televisieprogramma's, schrijft boeken en maakt muziek samen met haar man Seal. En ze is miljonaire. Ongelooflijk! Alleen omdat ze knap is. Nee, alleen omdat ze als 19-jarige meedeed aan een latenightshow – en won. Of Claudia Schiffer! Die zat op een dag met haar zus in een café. Er kwam een fotograaf langs, die zag haar, stopte (Claudia had toen nog puistjes, droeg geen make-up, ging nog naar school. *Net als ik,* denkt Amelie). En toen zei hij: 'Ik zou graag een foto van je maken.' Claudia glimlachte en zei: 'Waarom niet?' En haar zusje glimlachte ook. (Haar zus is maar een jaar ouder, misschien is dat het verschil. Mirjam zou beslist niet 'Waarom niet?' gezegd hebben en geglimlacht. Mirjam zou gedacht hebben: *Waarom vraagt hij mij niet? Waarom maakt hij geen foto's van mij? Ik ben toch veel knapper?*)

Toen werd Claudia Schiffer uitgenodigd voor een casting. Daar was een setcard van haar gemaakt: Claudia in verschillende kleren, met verschillende kapsels en make-up en in verschillende posities om te laten zien hoe veelzijdig en flexibel ze is. *Dat ben ik ook,* denkt Amelie.

Nu, zoveel jaar later, behoort Claudia tot de beroemdste vrouwen van de wereld. Overal ter wereld kent men haar. In Brazilië flippen mensen als ze haar foto zien. In Tokio ook. Nu is ze ook nog beschermvrouwe van het kinderhulpprogramma van de UNESCO. Politici nodigen haar uit. Ze heeft zelfs met de Amerikaanse president gedanst. Het is gewoon ongelooflijk. En alleen omdat een fotograaf haar zag in een café en dacht: *Ja, die zou het kunnen zijn!*

Amelie slaapt niet meer zo goed. Elke morgen staart ze met roodomrande ogen naar de kalender. Al vierentwintig dagen heeft Nick niets meer laten horen. Hij belt haar gewoon niet terug. Amelie heeft twee keer zijn voicemail ingesproken, maar ze was heel zenuwachtig en elke keer kwam er uitgerekend iemand de kamer binnen en moest ze fluisteren. Waarschijnlijk is ze van pure opwinding vergeten haar naam te noemen. De laatste tijd kan ze aan niets anders denken dan aan Nick, voor niets anders is er ruimte in haar hoofd.

Voor Engels heeft ze een vijf, voor aardrijkskunde moet ze een werkstukje maken omdat ze niet meer wist wat de hoofdstad van Tsjechië is. En omdat ze niet wist dat Tsjechië iets anders is dan Tsjecho-Slowakije. Hoewel ze het daar in de les een hele week over hebben gehad. Haar ouders heeft ze niets verteld over het werkstuk en ook van het Engelse proefwerk weten ze niets.

Maar Amelie vreest de dag dat haar vader een collega van de Sint-Jansschool tegenkomt die dan zegt: 'Wat is er met je dochter aan de hand? Ze maakt zo'n afwezige indruk. Ze is eigenlijk niet bij de les.'

's Middags neemt Amelie zich voor om de stof te herhalen, om in te halen wat ze niet heeft gedaan. Woordjes in haar hoofd te stampen. Grammatica te oefenen. Maar als ze thuis zit, kijkt ze in haar agenda, ze telt de minuten die verstrijken en kan maar aan één ding denken: *Waarom belt hij niet?*

Judith ziet ze niet meer zoveel als eerst. Judith is weer op ballet gegaan. In de lente was ze ermee gestopt, maar opeens had ze weer zin. Dus kunnen ze twee keer in de week niet afspreken. Op woensdag past Amelie nog altijd op de kleine

Benthe en op dinsdag moet ze thuis helpen. Op donderdag is het Mirjams beurt. Dan moet ze de bedden opmaken, de badkamer schoonmaken, boodschappen doen en koken. Dinsdag en donderdag zijn de dagen dat haar moeder de hele dag werkt. 'Van grote dochters', heeft ze gezegd, 'kun je toch verwachten dat ze meehelpen met het huishouden. Als moeder ben je toch niet de werkster van het gezin. Jarenlang heb ik voor jullie gewassen, gekookt en schoongemaakt, maar nu wil ik ook eens aan mezelf denken.'

'Je hebt gelijk', heeft Amelies vader gezegd.

Mirjam en Amelie hebben niets gezegd, maar hun ouders hebben hun ook niets gevraagd.

Over het voorval met de foto's wordt niet meer gesproken. Omdat Amelie er elk moment rekening mee houdt dat de telefoon kan gaan en Nick haar belt, is ze meestal thuis. Het verbaast haar ouders dat ze nooit zin heeft om weg te gaan. Ook kunnen ze niet begrijpen dat hun dochter nog dunner geworden is. Amelie ontbijt niet meer, ze drinkt alleen een glas melk en tussen de middag eet ze meestal wat salade. Op een keer stond in een tijdschrift het dieet van Heidi Klum. Sindsdien weet Amelie dat je heel veel water moet drinken als ze knap wil zijn. En helemaal geen vet moet eten. Heidi haalt zelfs nog het vel van een stukje kip, omdat er vet onder het vel kan zitten.

Toen ze een keer kip aten, heeft Amelie ook stiekem het vel eraf gehaald. Daarna was ze trots. Ze heeft in de spiegel gekeken en bedacht dat ze inderdaad dunner geworden was. Ze hebben thuis geen weegschaal. Daarom weet ze niet hoeveel ze afgevallen is, maar haar spijkerbroek zit opeens ruimer en ze kan al haar riemen twee gaatjes strakker trekken. Zoetigheid eet ze helemaal niet meer. Om haar huid. In de schoonheidstips in tijdschriften, die Amelie altijd stiekem leest in de kiosk (zonder te betalen), staat dat suiker een onzuivere huid veroorzaakt. Vroeger was Amelie dol op superzoet snoepgoed.

Voor haar verjaardag heeft ze een gsm gekregen. Uiteindelijk kon ze haar ouders er toch nog van overtuigen hoe handig het zou zijn als ze het altijd kan laten weten wanneer het eens iets later wordt of als ze 's avonds de bus heeft gemist. Haar ouders hadden uiteindelijk geen argumenten meer en hebben toegegeven. Omdat ze zo liberaal zijn en hun kinderen alle vrijheid willen laten.

'Weet je wat het motto van papa en mama is?' was Mirjams commentaar. *'Vertrouwen is goed, controle is beter.'*

Amelie had Nick verteld dat ze zes oktober jarig is. Hij heeft het zelfs op een briefje geschreven dat hij bij de belichte films in zijn tas heeft gestoken. Een telefoontje van Nick zou Amelies allermooiste verjaardagscadeau geweest zijn. Maar ze heeft net als alle andere dagen tevergeefs gewacht. En om hem met haar nieuwe gsm een sms'je te sturen, daar was ze toch te trots voor.

's Middags kwamen er een paar vriendinnen, ze hebben wat naar muziek geluisterd, een spelletje gedaan en zich volgestouwd met taart, terwijl het buiten onophoudelijk regende. Het was al dagenlang bewolkt, de straten glommen van de regen. 's Morgens had de bus zijn koplampen aan gehad, sommige mensen hadden al hun dikke winterjas tevoorschijn gehaald en iedereen verschool zich onder grote paraplu's.

's Avonds had Amelie geprobeerd de verjaardagtaart weer uit te braken. Daarna was ze kletsnat van het zweet en moest ze haar lichaam met een badhanddoek droog wrijven.

Toen de volgende morgen de wekkerradio ging, had ze een stekende hoofdpijn en was ze het liefst in bed gebleven. Maar omdat ze een opstel moest maken, was het ondenkbaar dat ze thuis zou blijven. Dat zouden haar ouders nooit goedvinden. Dus had Amelie zich naar school gesleept om een opstel over de Zuidelijke Nederlanden te schrijven. Uiteraard had ze het verprutst.

Wanneer Amelie thuiskomt, hoort ze de telefoon. Zenuwachtig zoekt ze haar sleutel, krijgt hem niet meteen in het slot, vloekt, laat haar schooltas vallen en holt naar binnen. Het gerinkel is opgehouden.
Amelie kreunt. Ze loopt terug naar de voordeur en stopt de spullen die uit haar rugzak zijn gegleden weer terug. De telefoonbeantwoorder springt aan.
'Hallo Amelie, met Nick. Als je er bent, wil je dan alsjeblieft antwoorden?'
Amelie laat haar rugzak weer vallen, holt naar het toestel en grist de hoorn eraf.
'Ja!' roept ze buiten adem. 'Ja, ik ben er! Met Amelie!'
Het blijft even stil. Dan klinkt de zachte, ontspannen stem van Nick: 'Hé, ik ben niet doof. Je hoeft niet zo te schreeuwen!'
'Sorry', fluistert Amelie. 'Sorry, ik kom net thuis.'
'Dat weet ik', zegt Nick.
'Hè?' Amelie fronst haar voorhoofd. 'Wat weet je?'
'Dat je net thuiskomt. Ik reed langs je toen je in de bus stapte. Ik kon alleen niet stoppen, want mijn moeder en mijn zus zaten bij me in de auto en we waren al laat. Ik heb ze naar een of ander restaurant gebracht waar ze een reünie hebben.'

'Oh', mompelt Amelie. Ze vraagt zich af waarom Nick haar dit allemaal vertelt. Nadat hij zo lang niets heeft laten horen.

'Goed', zegt Nick. 'Ik heb nieuws.'

'Echt?' roept Amelie uit. Ze schrikt alweer van haar eigen luide stem.

'Hoewel, tja, nieuws is het niet direct.'

De moed zakt Amelie alweer in de schoenen. *Oké, denkt ze, ik ben afgevallen. Ze hebben me niet genomen, waarom zouden ze ook. Ik ben gewoon lelijk en ik heb geen talent. Wat een flauwekul. Aardig dat Nick me toch belt, dat hij niet zo laf is en gewoon niets meer van zich laat horen. Misschien doet hij dat om zijn moeder. Omdat hij vermoedt dat je elkaar op een dag toch weer tegenkomt. En dan zou het extra pijnlijk zijn. Nou ja, voor hem misschien niet. Wie weet bij hoeveel meisjes hij al verwachtingen heeft gewekt. Hoeveel meisjes 's nachts niet kunnen slapen omdat ze wachten op een telefoontje van hem.*

'En?' Amelie moet twee keer haar keel schrapen voor haar stem weer enigszins normaal klinkt. 'Wat voor nieuws?'

'Ik was op reis', zegt Nick. 'Ik was in Tunesië. Ik heb modefoto's voor de Cosmo gemaakt. Het was een rampzalige productie. De visagist kreeg buikgriep, Denise stelde vast dat ze zwanger is en is ingestort, en Janne, de andere, die ik altijd een stomme koe en ongelooflijk arrogant heb gevonden' – *(Hoe hij over de modellen praat!* denkt Amelie) –, 'die was aan de coke en zag er 's morgens uit als Dracula. Ik heb haar elke morgen om vijf uur wakker geschud, ben met haar gaan joggen en vervolgens gaan zwemmen, zodat ze om zeven uur in elk geval enigszins presentabel was voor de eerste shoot. Goh, als ik dat nog een keer moet doen, zoek ik een baan als belastingambtenaar.' Hij lacht.

Amelie zwijgt.

'Ben je er nog?'

Amelie schraapt haar keel nogmaals. 'Tuurlijk.'

'Goed', zegt Nick. 'Dat was dus de reden waarom ik niets heb laten horen. Je vroeg je vast al af waarom ik niet belde.'

'Ach, ja', stottert Amelie. 'Dat gaat nu eenmaal zo. Ik heb wel eens gebeld.'

'Oh ja? Is dat zo? Ik beluister niet altijd mijn voicemail. Bovendien werkt dat ding niet goed; het neemt niet alle gesprekken op.' Hij lacht. 'Geen idee volgens welk systeem hij de berichten wel opneemt. Waarschijnlijk ben ik allang gebeld door Hollywood met de vraag of ik de regie voor een superfilm wil doen. Maar ik heb het gewoon niet gehoord.' Hij lacht nog harder. 'Misschien zitten ze daar in Hollywood nog altijd op me te wachten. En ik weet van niets.'

Amelie probeert ook te lachen, maar het klinkt nogal geluidloos. Haar hart gaat als een razende tekeer. Dit is het telefoontje waar ze zo lang op gewacht heeft, waar ze zo naar uitgekeken heeft, en nu moet ze dit soort flauwekul aanhoren, over een telefoontje uit Hollywood en een model dat zwanger is.

'Hoe dan ook,' gaat Nick verder, 'de foto's zijn desondanks top. De artdirector van Cosmo huilde bijna. Zo gelukkig was hij. Ze maken tien dubbele pagina's. Dat is goed voor mijn reputatie.' Hij lacht alweer.

Amelie zegt niets. Haar hand is nat van het zweet. Ze moet de hoorn in haar andere hand pakken, wisselt ook van oor, omdat haar rechteroor gloeit.

'Goed', zegt Nick dan weer. 'Wat ik hiermee wil zeggen...'

Amelies hart bonst van opwinding. Maar Nick heeft nog iets anders bedacht.

'Zeg, toen met die foto's bij dat bos... Het was al behoorlijk laat toen ik je thuis afzette. Hebben je ouders daar nog iets over gezegd?'

Heel even aarzelt ze. Zal ze Nick vertellen wat haar ouders van de foto's vonden? Maar misschien denkt hij dan dat ze nog een baby is, die niet zelf mag beslissen. En misschien bedenkt hij zich dan, omdat hij met een baby niets te maken wil hebben.

Dus zegt ze: 'Nee hoor, niets aan de hand.'

'Je hebt ze verteld dat we foto's gemaakt hebben?'

'Ja, natuurlijk', zegt Amelie.

Het blijft even stil. Dan vraagt Nick: 'Heb je ook verteld wat voor foto's we gemaakt hebben?'

Amelie aarzelt. Ze probeert zich te herinneren hoe dat is gegaan. *Hoezo? Wat bedoelt hij?* denkt ze. *De foto's waren toch prima? We hebben toch veel lol gehad?*

'Zijn ze niet goed geworden?' vraagt ze aarzelend. 'Ik sta er waarschijnlijk heel stom op, of niet?'

'Dat bedoel ik niet', zegt Nick. 'Ik wilde alleen in het algemeen weten hoe je ouders daarover denken. Ik bedoel, over zulke foto's.'

'Dat weet ik toch niet', zegt Amelie. 'Ik heb de foto's nog niet eens gezien.'

'Ze zijn supertop', zegt Nick.

Amelies hart begint sneller te slaan. 'Echt?'

Nick lacht. 'Echt, je hebt het gewoon, baby!'

'Wat?' fluistert Amelie. Haar gezicht voelt opeens heel warm.

'Nou ja, dat iets. Sommige mensen noemen het *charisma*. De echte uitstraling, weet je. Je hebt het of je hebt het niet. Zoiets kun je niet leren. Je ziet op de foto's hoe jij met de camera kunt flirten. Dat is een basisvoorwaarde. En jij hebt het helemaal, baby.'

Amelie haalt diep adem. Er verschijnt een brede glimlach op haar gezicht.

'Daar ben ik blij om', zegt ze. 'Ik ben in elk geval blij dat je niet hebt gegild van ellende toen je de foto's zag.'

'Gegild van ellende? Ik was door het dolle heen! En nu komt nog het mooiste. Ik bedoel, waarom ik bel: je zit erin, baby!'

'In... wat...?' fluistert Amelie. Ze kan bijna geen woord uitbrengen van opwinding.

'Wat denk je? In de wedstrijd! Voor het gezicht van het jaar! Als je geluk hebt, kom je in de volgende ronde. In ieder geval hebben we de kans dat we met jou een fotoshoot voor *Flair* gaan maken.'

'Een fotoshoot voor *Flair*?' Amelie kan haar oren niet geloven. Ze trilt. 'Dit is toch zeker een grapje?'

'Meisje, de wereld gaat sneller dan jij denkt. Of dan ze je op school vertellen. In onze business gaat het leven nog een keer zo snel. Wen daar maar aan! Wat ga je straks doen?'

'Straks?' Amelie kijkt ontdaan op haar horloge. Halfvijf. Straks moet ze eigenlijk naar de tandarts, maar dat is alleen maar voor controle, ze heeft nergens last van en daarna moet ze huiswerk maken en daarna heeft ze met haar moeder afgesproken dat ze de winterkleren van de zolder zullen halen om te luchten.

'Eigenlijk... niets', zegt Amelie.

'Oké, eh, goed, het is nu halfvijf, zullen we zeggen dat ik om vijf uur voor je deur sta? Wat is het nummer ook alweer?'

'Zevenendertig', zegt Amelie.

'Goed, zevenendertig. Ik ben er om vijf uur. Oh ja, en pak wat spullen in. Ik wil eens wat andere foto's maken. Zwart-wit, denk ik, en wat studiosfeer. Goed, dan gaan we naar mijn studio in Brussel, oké?'

Amelies hart slaat over van schrik. 'Naar Brussel?'

'Ja, daar heb ik toch een studio. Het is nog geen uurtje rijden, geen probleem toch? Leg maar een briefje neer voor je ouders. Zeg maar dat ik je vanavond veilig weer thuisbreng. Misschien niet zo vroeg, een uur of tien, denk ik.'

Ze vermoorden me, denkt Amelie. Ze trilt over haar hele lichaam. *Maar dat laat me koud. Ik wil die foto's maken. Ik wil het, ik wil het, ik wil het.*

'Oké', zegt ze ademloos. 'Over een halfuurtje sta ik klaar. Wat voor spullen bedoel je?'

'Kijk maar', zegt Nick. 'Je lievelingsdingen. We gaan nu van alles doen en daarna kijken we wat het beste lukt. Het zijn allemaal maar oefenshoots, hoor. Misschien kunnen we dat vast gebruiken voor een setcard.'

Amelies gezicht straalt. Hij heeft het gezegd. Het toverwoord. *Setcard.* Zonder setcard, weet Amelie, kun je helemaal geen model worden. Zonder setcard neemt geen enkele agent je op in het bestand.

Te gek, denkt Amelie. *Ik denk dat ik droom.*

'Goed, tot straks!'

Amelie blijft nog even naast de telefoon staan. Ze wacht tot haar hart weer rustiger slaat en haar gezicht niet meer zo gloeit. Dan holt ze naar haar kamer, trekt de koffer van de plank en begint te pakken.

4

from: Amelie@girls13+.fun
to: Miriam@leo.love

Hoi lieve zus,
Je hebt van papa en mama vast alles al gehoord. Het laatste
telefoontje met hen was een ramp. Toen ze eindelijk de strijd
gestaakt hadden, voelde ik me ellendig en kon ik alleen nog
maar huilen, omdat ik mezelf zo gemeen vond en omdat mama
zo verdrietig was. Nu staat mijn gsm eigenlijk bijna niet meer
aan. Ik wil hen gewoon niet meer spreken. Het leidt toch tot
niets. Ze begrijpen me niet. Ik denk dat ze me niet willen
begrijpen. Ze willen dat ik mijn leven leef op hun manier. Dat
was vroeger toch heel anders. Weet je nog wel? Ze zeiden altijd:
doe wat je wilt. We vertrouwen jullie. Het gaat erom dat jullie
gelukkig zijn.
Iedereen in mijn klas droomt van een carrière als model. En de
kans om aan zo'n wedstrijd te mogen meedoen, krijg je maar
eens in je leven. Die gelegenheid komt nooit meer terug. Ik
moest wel toehappen! En ik weet honderd procent zeker dat jij
het ook zo gedaan zou hebben. Waarschijnlijk had je zelfs meer
kans gehad dan ik. Maar Nick zegt dat het in de business niet

alleen om schoonheid gaat, maar ook om uitstraling. Houding
en uitdrukking leveren meer op dan een knap gezicht. Hij zegt
dat ik een bijzondere manier van lopen heb en dat ik mijn
schouders zo mooi optrek en dat mijn benen zo sierlijk zijn (heeft
hij echt gezegd) en dat mijn handen zo slank zijn. En ik dacht
altijd dat ik veel te dun was.

Ik weet ook niet waarom ik jou dat nu vertel. Ik wil beslist niet
dat je jaloers wordt of zo. Ik wil alleen graag dat er ten minste
één iemand in ons gezin is die me een beetje begrijpt. Mama had
het erover dat jij deze wedstrijd net zo belachelijk vindt als zij,
maar dat geloof ik gewoon niet!

Iedereen doet alsof ik voor altijd afscheid van jullie heb
genomen! Ik wil alleen maar aan de wedstrijd meedoen en
daarna kom ik weer naar huis. Jullie weten toch waar ik ben en
je kunt me altijd via internet bereiken.

Ik weet dat papa en mama zich zorgen maken. Maar als mama
denkt dat het het einde van de wereld is als ik twee weken niet
naar school ga, dan moet ze even aan mijn laatste rapport
denken. Ik was op vier na de beste van de klas en ik blijf heus
niet zitten omdat ik er twee weken niet ben. Het klopt dat ik nog
niet weet wat er gaat gebeuren als ik win. Maar daar denk ik
voorlopig nog maar even niet aan. Ik vind het gewoon geweldig
om erbij te zijn. Nick is ervan overtuigd dat er na de wedstrijd
meteen iemand opstaat die me wil boeken. Maar ik blijf een
beetje sceptisch. Dan is de teleurstelling niet zo groot als het
toch niet lukt. Hij denkt dat bij deze wedstrijd het kaf van het
koren wordt gescheiden. En dat de jury meteen zal zien dat ik
sterkwaliteiten heb. Ach ja, soms dikt hij alles een beetje aan om
mij een hart onder de riem te steken.

En over mijn onderkomen hoeven jullie je ook geen zorgen te
maken: ik heb een kamer in een pension in het centrum. De

kamer is prima. Natuurlijk niet zo geweldig als in het hotel op
Rhodos vorig jaar. Het is hier een beetje lawaaiig en de matras
is behoorlijk doorgezakt. Maar dat laat me koud. Ik denk alleen
aan het werk in de studio. Ik wil het goed doen en daarom
moet ik ervoor zorgen dat ik er 's morgens gezond uitzie. Mijn
huid is op het moment heel gevoelig, ik krijg heel snel rode
vlekken en die zien er echt ellendig uit. Maar visagisten kunnen
toveren. Als je me nu zou zien, zo 'voor – na' dan zou je me niet
herkennen. Het is echt ongelooflijk. Weet je, ik mag de mensen
die zoveel moeite voor me doen ook niet teleurstellen. Dat is nu
mijn grootste zorg. De rest is dan opeens heel onbelangrijk.
Lieve zus, ik weet dat je zelf om Leo heel veel problemen hebt
met papa en mama. Ik bemoei me niet met jouw relatie met Leo,
dat heb ik nooit gedaan, dat weet je. Maar wil je alsjeblieft eens
met papa en mama praten om ze te vertellen dat ze zich niet
langer zorgen om mij hoeven te maken. Vertel maar dat ik, als
de wedstrijd achter de rug is, weer thuiskom. En dan ga ik weer
naar school en haal ik braaf alles in wat ik heb gemist.
Oké?
Zeg je het?
Heel veel kussen van je kleine zusje, dat misschien binnenkort
een grootse carrière tegemoet gaat.
Duim je voor me?
Amelie

'Moet je nu eens kijken! Mijn hemel, een zak zout heeft nog
meer gratie dan jij! Wat is er met je aan de hand? Kijk niet
zo zuur. Weet je wel hoe dat eruitziet als je je mondhoeken
zo laat hangen? Glimlachen, heb ik gezegd, glimlachen. Met
schitterende ogen, als het even kan!'
'En hoe moet ik dat doen?' vraagt Amelie klaaglijk. Ze doet

nu al meer dan twee uur een soort gymnastiek op en rond een ligstoel, gekleed in een eendelig badpak dat haar billen helemaal vrij laat.

De avond tevoren heeft ze zich van top tot teen ingesmeerd met een bruiningscrème, maar haar huid heeft niet overal evenveel crème opgenomen. Dus moesten de grootste mislukkingen met make-up worden afgedekt. Amelie kan maar niet wennen aan het gevoel van make-up op haar armen en haar billen. Bovendien heeft ze die nacht naar gedroomd (het ging steeds weer over haar ouders) en is ze 's morgens met migraine wakker geworden. Vroeger, als kind, had ze wel eens migraine. Maar toen ze eenmaal ongesteld werd, was het opeens voorbij. En nu, heel plotseling, zonder enige waarschuwing, heeft ze zo'n enorme aanval.

'Stress', heeft Nick gezegd, toen ze hem om hoofdpijntabletten vroeg. 'Daar moet je maar mee leren leven, baby. Maar als je niet tegen stress bestand bent, kun je het maar beter meteen zeggen. Dan ga ik met een ander meisje verder.' Tegenwoordig praat Nick wel vaker zo. Hij is behoorlijk overwerkt.

'Hoe je dat moet doen?' tiert Nick nu. 'Mijn hemel, moet ik nu ook nog voordoen hoe je moet glimlachen? Moet ik misschien voor je naar de wc gaan? Heb je dan helemaal geen idee van deze baan?'

Met een woedend gebaar smijt hij de camera op de bank, grijpt in zijn haar. 'Lopen hier alleen nog maar halvegaren rond?' foetert hij.

Amelie trekt haar hoofd tussen haar schouders en maakt zich klein. Ze bijt op haar lippen. *Het moet lukken*, denkt ze. *Het moet. Het moet.* Ze doet haar ogen dicht en concentreert zich. Ze vormt haar mond tot een glimlach, dwingt zichzelf aan iets fijns te denken: een zomerse dag aan het water, bijvoorbeeld, in het zwembad... aan Mario... Ze doet haar ogen open. En glimlacht.

'Zo?' vraagt ze.

Maar Nick ligt op de bank, zijn handen over zijn ogen, en kijkt niet.

'Nick', fluistert Amelie. 'Kijk dan, ik denk dat ik het nu kan.' Nick pakt een krant en slingert die in haar richting.

'Ben je boos?' vraagt Amelie.

'Ik ben niet boos. Waarom zou ik boos zijn? Kun je je iets leukers voorstellen dan het fotograferen van een meisje dat te stom is om de gebruiksaanwijzing van de bruiningscrème te lezen? Ja?' Hij komt half overeind en kijkt haar aan. Nog nooit heeft iemand Amelie zo woedend aangekeken, zo vol koude ironie.

Amelie deinst achteruit.

'Het spijt me', mompelt ze. Ze loopt naar de deur. Daarachter ligt de gang, waaraan nog twee studio's en het fotolaboratorium liggen. Daar zijn ook de toiletten. Daar liggen haar spijkerbroek en haar trui. Ze zal zich aankleden en weggaan. Ja, dat gaat ze doen. Ze laat zich niet nog een keer zo afbekken. Drie dagen staat ze nu al in de studio en drie dagen bekt Nick haar af. Er moet iets met hem aan de hand zijn. Amelie heeft geen idee wat er gebeurd is. Hij telefoneert steeds opgewonden met jan en alleman, dan is hij weer tevreden en lacht en het volgende moment, als hij weer een sms op zijn gsm heeft ontvangen, slaat het goede humeur om in woede. Amelie kan niet meer. Dat fotograferen hard werken is, heeft ze ondertussen begrepen. *Liever een blokuur wiskunde*, denkt ze als ze in haar spijkerbroek stapt, *dan dit hier*.

De deur van het toilet vliegt open. Daar staat Nick, zijn

handen op zijn heupen. 'Wat is er met jou aan de hand? Waarom hol je midden in de shooting weg?' Hij stormt op haar af en trekt de trui, die ze juist aan wil trekken, uit haar handen. 'Jij komt nu terug, en wel meteen!' Amelie kijkt Nick aan. 'Nee', zegt ze heel rustig. 'Ik kom niet terug. Ik heb er genoeg van.'

Hij staart haar aan, ongelovig, wezenloos. 'Wat heb jij?'

'Ik heb er mijn buik van vol. Ik laat me niet behandelen als... als...' Ze zoekt naar het juiste woord.

'Ik behandel je niet beter en niet slechter dan je verdient. Lieve hemel, zie je niet hoe ik me voor je uitsloof? Hoe ik probeer het beste uit je te halen?'

'Nee,' zegt Amelie koel, 'dat zie ik niet. En het laat me ook koud.' Ze steekt haar handen uit. 'Mag ik mijn trui terug?'

'En het badpak dan? Hoe zit het met dat badpak? Dat is van mij. Dat trek je nu meteen uit!' tiert Nick.

'Schreeuw niet zo', zegt Amelie. 'Bovendien is dit het damestoilet.'

'Dat zal me een rotzorg wezen!' brult Nick.

Amelie hoort stemmen in de gang.

Dan staat Gitte opeens in het toilet. Gitte werkt als laborante voor de drie studio's, die per uur te huur zijn. Dat is ook iets wat Amelie nu pas heeft gehoord: Nick heeft geen eigen studio, maar huurt er een voor elke afzonderlijke productie. Soms huurt hij die zonder opdracht, bijvoorbeeld zoals nu hij met Amelie werkt.

Tot nu toe is er nog geen chef-redacteur of een krant die zich voor de foto's van Amelie interesseert, hoewel Nick de foto's naar alle uithoeken heeft gefaxt en gestuurd. Het antwoord was steeds: geen interesse. Dat maakt hem nijdig en Amelie is elke dag iets wanhopiger. Maar wat kan zij eraan doen?

Niets. Ze doet toch steeds alleen wat Nick zegt.

'Hela!' Gitte trekt vragend haar wenkbrauwen op. 'Wat is hier aan de hand? Sinds wanneer is het damestoilet ook voor heren? Ben je travestiet of zo, Nick?' Ze glimlacht, maar haar blik gaat wantrouwend van Nick naar Amelie. Amelie veegt een traan uit haar ogen.

'Nick heeft een slecht humeur,' zegt ze, 'en ik hou het voor bekeken. Ik ga.'

'Terecht', zegt Gitte.

'Wat?' tiert Nick. 'Je geeft haar nog gelijk ook? Hebben jullie dan allemaal je verstand verloren? Ik loop me de benen vanonder mijn lijf om nog wat van die zoutzak te maken en jij...' Hij draait zich om en stampt weg.

Amelie en Gitte kijken elkaar aan. Er komen alweer tranen in Amelies ogen, maar ze vecht er dapper tegen. Ze wil sterk zijn, niet om elk kleinigheidje instorten. In dit werk, dat heeft ze ondertussen geleerd, moet je hard zijn, ook al zou je vanbinnen het liefste huilen.

'Het is een klootzak,' zegt Gitte, 'maar hij maakt te gekke foto's.'

'Ik weet het.' Amelie glimlacht en knikt. Ze veegt de tranen uit haar ogen.

'Als het iemand lukt van jou een ster te maken, dan is hij het wel.'

'Weet ik ook', zegt Amelie.

Gitte legt haar armen om Amelie heen. 'Als je er niet meer tegen kunt – je weet waar je me kunt vinden. Derde deur rechts.'

Amelie knikt, in tranen. Ze glimlacht dankbaar.

'Maar niet binnenkomen als het rode lampje brandt, want dan ben ik bezig met ontwikkelen.'

'Weet ik al', zegt Amelie.

'Zo, nu werk je je make-up weer bij en dan ga je terug. Goed?' Amelie bekijkt haar gezicht in de spiegel. De mascara is een beetje uitgelopen. Ze neemt een wattenstaafje, bevochtigt het met bodylotion en veegt voorzichtig het zwart weg.

'Ik zou nog wat meer rouge doen', stelt Gitte voor. 'Dat staat wel goed bij badmode. Heel gezond, snap je? Vergeet niet: je staat op een warme zomerdag bij de blauwe zee...'

Amelie glimlacht. 'Je bent echt de beste van heel deze keet!'

'Vertel dat mijn baas maar', bromt Gitte. Maar voordat ze de toiletruimte verlaat, geeft ze Amelie een knipoog.

Amelie wacht nog even tot ze zich weer helemaal onder controle heeft. Ze knielt in de hoek van de ruimte, legt haar hoofd tegen de koele wand en probeert aan iets fijns te denken.

Tegenwoordig probeert ze elke dag aan iets fijns te denken om niet gek te worden. Om de twijfel weg te duwen, de vraag of het allemaal wel goed is. Over twee dagen is de wedstrijd. Nick heeft als ambitie om al voor de wedstrijd in elk geval een contract voor een fotoshoot met haar op zak te hebben. Maar zoals het er nu uitziet, gaat dat niet lukken. Van een shoot voor *Flair* is ook geen sprake meer. Morgen moet Nick naar Luxemburg voor een andere productie. Amelie gaat de tijd goed gebruiken: uitslapen, naar de kapper, onder de zonnebank en een beetje gymnastiek in de vorm van ontspanningsoefeningen. Even helemaal relaxen ter voorbereiding op de grote dag.

Ze stelt zich voor hoe het zou zijn als haar ouders naar de wedstrijd zouden komen, als ze in de zaal zaten en voor haar duimden, terwijl zij op het toneel voor de jury staat. Amelie heeft haar ouders twee kaarten voor de manifestatie gestuurd, maar ze hebben geweigerd om te komen. Ze zouden liever doodvallen dan dat ze hun dochter halfnaakt op het plankier zien lopen, heeft haar vader gezegd en hij heeft haar nog eens herinnerd aan de belofte om meteen na de wedstrijd naar huis te komen.

Wanneer Amelie de studio binnenstapt, heeft Nick alles anders ingericht, ander licht ook. Hij glimlacht vriendelijk naar haar.

'Mooi', zegt hij. 'Alles oké?'

'Natuurlijk. En jij?' vraagt Amelie.

'Ook', zegt Nick. 'Zullen we eens iets anders proberen?'

'Zoals je wilt', zegt Amelie. 'Wat moet ik doen?'

'Ga hier maar op je buik liggen. Hier, op deze plank. Dan doe je net alsof je op een surfplank door de golven glijdt. Kun je je dat voorstellen?'

'Ja, natuurlijk kan ik me dat voorstellen', zegt Amelie. 'Maar dat ziet er toch heel stom uit.'

'Helemaal niet. Ik wil deze keer met de digitale camera werken. Daarna maak ik dan een goede achtergrond. Water, golven, je kent dat wel. Ik wil alleen eens zien of het je lukt.'

Amelie knikt. 'Oké', zegt ze.

Nu helpt Nick haar om de juiste positie te vinden. Hij tikt daarbij even op haar achterwerk. Amelie wil niet meteen weer truttig doen.

'Je hebt een lekker kontje', zegt Nick. 'Dat moet gezegd worden!'

'Dat is dan toch al iets', zegt Amelie.

Nick lacht. 'Precies. De een heeft een gezicht, de ander een kontje. Nu niet meteen weer boos worden. Wat denk je dat andere fotografen zeggen tijdens een shooting? Je zult in dit beroep nog heel wat verschillende mensen tegenkomen. Dan leer je het wel af om zomaar rood te worden. Let op mijn woorden. Dan schaam je je nergens meer voor. Daarbij vergeleken ben ik een heilige, echt waar. Je zult nog staan kijken.'

'Misschien ook niet', zegt Amelie.

Nick wenkt zijn assistent. 'Meer licht op haar achterwerk en een paar spuitjes water op de schouder.'

De assistent holt al. Amelie kent hem alleen hollend. Ook de visagiste is hypernerveus. Vanmorgen had ze twee uur vrij genomen, uitgerekend vandaag nu dat ongelukje met de bruiningscrème is gebeurd. Nick was bijna geflipt. Alles komt altijd tegelijk.

'Misschien', zegt Amelie, 'ben je ook wel de enige fotograaf die ik in mijn leven zal tegenkomen.'*En misschien ben ik daar wel blij om,* voegt ze er in stilte aan toe. Nick lacht. 'Ik? De enige fotograaf? In jouw leven? Baby, je zult zien dat ze straks voor jou in de rij staan.'

Amelie kijkt hem aan, ongelovig.

'Ja, lach maar', zegt Nick. 'Maar één ding beloof ik je. Als het met de wedstrijd niets wordt dan komt het later. Het gaat een keer lukken. Je hebt het gezicht van de eeuw, meisje. Het wordt wat met jou!'

Amelie legt gehoorzaam haar hoofd op de plank, het gezicht afgewend.

Nick laat de camera staan, loopt op haar af, draait haar hoofd om en dwingt haar hem aan te kijken.

'Maar nu moet je werken. Werken, werken, werken. Succes moet je verdienen. Duidelijk? En laat nu eens zien wat je in huis hebt, baby!'

5

Amelie staat op het toneel, duizenden schijnwerpers op zich gericht, en ze knippert tegen het felle licht. In de zaal zitten de mensen en gapen haar aan. Ze kijken naar haar en naar vierentwintig andere meisjes, die allemaal ook een badpak dragen met daarbij hoge hakken, wat Amelie belachelijk vindt. Ze heeft dagenlang geoefend om op die tien centimeter hoge stiletto's te kunnen lopen. Maar zoiets als een catwalk, de soepele gang van een model op het plankier, lukt haar met deze schoenen gewoon niet. Haar sandaaltjes hebben kleine, zilveren riempjes, die in haar huid schuren. Maar dat is niet het ergste. Het badpak is te klein, het klemt onder haar oksels, en het kapsel dat ze voor haar bedacht hebben, vindt Amelie zo lelijk, dat ze er het liefste met haar vingers doorheen zou willen gaan. Haar enige troost: de overige vierentwintig meisjes kijken al niet veel gelukkiger.

In de zaal zitten heel veel belangrijke mensen. Ze drinken champagne, eten een hapje met zalm, lachen, amuseren zich en luisteren helemaal niet naar wat de presentator vertelt. Over Amelie zegt hij bijvoorbeeld: 'Wel, dit is Amelie Dhooghe. Amelie is net sweet fifteen geworden en droomt net als alle meisjes van een grootse carrière als fotomodel. Ze

is een meter vijfenzeventig lang, heeft schoenmaat negenen-
dertig en een taille van – wel, raad eens! Van zegge en
schrijve vierenzestig centimeter. Een wespentaille inderdaad.
Amelies hobby's zijn wandelen en dromen.' (Gelach in het
publiek, Amelie wordt rood). 'Waarom lacht u nu, dames
en heren? Dromen is een heel belangrijke bezigheid voor
sommige mensen. Maar bovendien gaat ze ook graag fietsen,
is ze dol op de natuur en wil ze dolgraag een hond.' (Opnieuw
gelach in het publiek.) 'Daar geef ik u bij wijze van uitzon-
dering gelijk, dames en heren, want een hond valt slecht te
verenigen met een leven als model. Met een leven dat je leeft
vanuit een koffer, vandaag hier, in New York, morgen daar,
bijvoorbeeld in Parijs. Ik zal u nog iets verklappen: de lieve-
lingshond van Amelie Dhooghe is een sint-bernard.' (Luider
gelach.) 'Er zijn modellen die een pekineesje meesjouwen,
dat kunnen ze ook meenemen in het vliegtuig. Maar een sint-
bernard? Goed, ik ben bang dat Amelie aan het eind van deze
avond afscheid moet nemen van een droom, of die van de
sint-bernard of die van een carrière bij het agentschap IMG.'
Amelies hoofd gloeit. Maar ze blijft glimlachen. Haar gezicht
is niet meer dan een masker, maar ze glimlacht onafgebroken, al urenlang heeft ze het gevoel.
'Amelie gaat naar de Sint-Jansschool in een plaatsje tussen
Brussel en Antwerpen, haar vader is leraar, haar moeder
secretaresse. En ze heeft een zus die drie jaar ouder is dan
zij. Zo, ik denk dat u nu alles weet over dat lieve meisje met
die lange benen daar helemaal rechts. Misschien kan Amelie
een stap naar voren doen en nog even ronddraaien voordat
we met het interview beginnen.'
Amelie doet een pas naar voren, glimlacht en draait om
haar as. Ze vindt het moeilijk om haar hoofd zo trots

omhoog te dragen, haar schouders recht te houden, haar buik ingetrokken, het linker speelbeen iets voor het rechter standbeen. Dat heeft ze ook geleerd, dat ze een speelbeen en een standbeen heeft. En dat je altijd een beetje schuin naar de camera moet staan. 'Frontaal ziet ieder mens er stiksaai uit', heeft Nick gezegd. Nick heeft in zijn leven als fotograaf al meer dan honderd meisjes gefotografeerd. Van sommigen heeft hij een ster gemaakt.

Nu zit Nick in het publiek. Amelie probeert tegen het felle licht van de schijnwerpers in te kijken. Ergens rechts moet hij zitten. Nick heeft het druk deze avond. Hij moet contacten leggen, heeft hij verteld. Connections, daar draait het om in deze branche. En bij zo'n evenement komt iedereen die mee wil praten. Reclamebureaus, cosmeticabedrijven, journalisten, chef-redacteuren, modedesigners, boetiekeigenaren. 'En natuurlijk,' heeft Nick gezegd, 'de scouts van IMG. Meestal houden ze zich in het begin een beetje afzijdig omdat ze anders bestormd worden. Omdat alles en iedereen dan om hen heen dringt. Ze willen vanuit de rust, vanuit de dekking hun buit bespieden. Het zijn net jagers, weet je, gretig, hongerig, verlangend naar vers vlees. Ze hebben altijd vers vlees nodig, altijd nieuwe gezichten, want de modebranche is onverzadigbaar. Het zijn allemaal jagers die daar in de zaal zitten, weet je. Ze willen allemaal geld met jou verdienen.'

'Met mij?' had Amelie opgewonden gevraagd.

'Ja, met jou of met de andere meisjes links en rechts van je, het meisje dat de wedstrijd wint. Je weet niet wat een run er op dat arme kind ontstaat. Meteen na de verkiezing wordt ze omsingeld. Ze weet van voren niet meer wat er van achteren gebeurt. De meesten storten diezelfde avond nog in.'

Amelie wenst voor de eerste keer dat ze niet wint, maar

aan de andere kant... wat zouden haar ouders zeggen als ze daarmee thuiskomt? Hoe kan ze dan nog rechtvaardigen dat ze twee weken lang van school gespijbeld heeft?

De presentator zet de microfoon recht, pakt de waterkan, schenkt zich een glas water in en drinkt.

Amelie voelt hoe droog haar mond is, maar ze glimlacht. Nick heeft gezegd: 'Ik sla je dood als je ook maar één moment niet glimlacht.'

De presentator kijkt Amelie aan. Hij maakt met alle kandidates een praatje zodat de mensen die veel geld voor hun entreekaart hebben betaald, zich een beeld van hen kunnen vormen. Van de stem, van de uitstraling van elk meisje. En ook van de manier waarop ze praat en hoe ze denkt. 'Maar wees gerust, hoor, de vragen zijn te doen. Het is hier geen intelligentietest.'

Alweer gelach in het publiek. Het maakt Amelie heel nerveus, omdat ze niet begrijpt waarom de mensen op sommige momenten lachen, maar op andere momenten, die Amelie dan weer heel komisch vindt, niet. Als ze goed kijkt, ziet ze de gezichten van de mensen die nu allemaal naar haar kijken. Wit als ronde maangezichten. Soms schittert er een zilveren wijnkoeler of een lichtstraal die op een glimmende oorbel valt.

Ze ziet ook obers in spierwitte jasjes tussen de tafels door lopen.

'Vertel eens, Amelie,' begint de presentator, 'in welke oorden ben je zoal geweest?'

'Oorden?' vraagt Amelie, van haar stuk gebracht.

De presentator lacht. Het publiek ook. Amelie wordt rood. Ze schraapt haar keel. 'U bedoelt waar ik in de vakantie ben geweest?'

De presentator glimlacht mild. Hij knikt. 'Inderdaad. En waar
vond je het het leukste?'
Amelie denkt even na. Dan zegt ze: 'We zijn eens in
Hongarije geweest. Maar daar vond ik het niet zo leuk.'
'En waarom niet?'
'Omdat, tja, de hotels, eh, het hotel waar wij in zaten, was
heel mooi. Maar als je door de stad liep, lag er overal vuil.
En je merkte ook dat de mensen daar niet zo veel geld
hebben als hier. De etalages bijvoorbeeld. Eigenlijk kon je er
helemaal niets kopen.'
Gelach.
Amelie wordt weer rood. *Waarom lachen de mensen?*
'Goed, Hongarije was dus niet echt top', vat de presentator
samen. 'En verder?'
'Italië is mooi', vertelt Amelie. 'We hebben gesurft op het
Gardameer, dat was echt leuk.'
'Je kunt surfen?'
'Ja, een beetje. Ik heb een cursus gevolgd en toen, toen we
in Italië waren, heb ik nog een cursus voor gevorderden
gevolgd.'
'Dat kunnen we ons voorstellen, nietwaar?' De presentator
wendt zich tot het publiek. 'De blonde Amelie met haar lange
benen op een surfplank. Een fraai beeld.' Hij haalt een briefje
uit zijn zak en leest heimelijk de volgende vraag. 'Als je kon
kiezen, Amelie, in welk land zou je dan het liefste wonen?'
'Hier, in ons land', zegt Amelie.
Een paar mensen lachen, anderen applaudisseren.
'We hebben prachtige natuur en er wonen aardige mensen
en... we kennen hier geen oorlog.'
Gelach.
'Mja, geen oorlog...' De presentator glimlacht. 'We waren

natuurlijk wel betrokken bij de beide wereldoorlogen. En nu komt een wat lastige vraag. Je mag er rustig even over nadenken voordat je antwoord geeft.' Hij pauzeert.

Amelie hoort haar hart slaan. Ze slikt. Ze staart de presentator aan, bedenkt dan dat ze moet glimlachen en trekt haar gezicht snel weer in de juiste plooi.

'Heidi Klum,' zegt de presentator, 'ondersteunt een kinderdorp. Dat weet je vast wel?'

Amelie knikt. Ze is blij dat ze de afgelopen tijd alle tijd-schriften in handen gehad heeft.

'Weet je ook wat voor project het is?'

'Ja,' zegt Amelie, 'u bedoelt het kinderdorp in Jordanië. Daar wonen kinderen die niet bij hun echte ouders kunnen wonen in een nieuwe gemeenschap bij elkaar.'

Spontaan applaus.

Amelie buigt.

'Bravo', zegt de presentator. 'Dat kwam er vlot uit. Nu koppel ik daar meteen de volgende vraag aan: Stel je voor, dat je op een dag beroemd bent en men jou, Amelie Dhooghe, vraagt om beschermvrouwe van een of ander project te worden. Waaraan zou je dan denken?'

Stilte.

Hemel, denkt Amelie. Ze haalt diep adem, glimlacht. *Wat moet ik nu zeggen?*

Achter haar staan de vierentwintig andere meisjes, die allemaal ook een aantal vragen moesten beantwoorden. Amelie is de laatste. Bij de anderen heeft het publiek lang niet zo veel gelachen. Althans, dat leek haar zo. Nu lacht er niemand. Ze ziet honderden maangezichten naar haar gekeerd. Wat was de vraag ook alweer? Haar hoofd gloeit. Ze gaat met haar tong langs haar lippen. 'Wilt u de vraag

misschien nog eens herhalen? Ik heb niet zo heel goed geluisterd. Neemt u me niet kwalijk. Ik ben heel nerveus.'
In het publiek lachen een paar mensen, iemand roept: 'Bravo!' Was dat Nick?
'Zo eerlijk zijn niet veel meisjes,' zegt de presentator, 'hoewel ik ervan overtuigd ben dat iedereen heel nerveus is. Vandaag wordt de weg naar de toekomst bepaald. Er kan er vanavond maar één winnen.' Hij herhaalt de vraag nog eens. Welk hulpproject zou Amelie steunen?
Amelie bedenkt wat er zoal is. Zieke kinderen, tuurlijk, maar er zijn veel zieke kinderen. Of de natuur? De dieren? Amelie heeft een hekel aan jagers die reeën of hazen neerschieten. Ze mag ook de mensen die een bontjas dragen niet. Maar zal ze dat zeggen? Hier? Bij deze mensen die misschien hun bontjas bij de garderobe hebben afgegeven? Maar beter om geen sympathie te verspelen. Amelie voelt hoe de tijd verstrijkt.
De atoomcentrale, denkt ze. *Ze is altijd al tegen atoomenergie geweest. Maar wat voor project kun je daarmee ondersteunen?*
Ze denkt aan Leo, ze weet niet waarom, en zijn praatjes over buitenlanders. En dan zegt ze zomaar ineens: 'Ik zou een actie ondersteunen die buitenlanders helpt. Dus als buiten- landers hier slecht behandeld worden, alleen omdat ze een andere huidskleur hebben, uit een andere cultuur komen of een andere taal spreken en men hen daarom de rug toekeert. Daarvoor wil ik vechten.' Ze wordt rood, begint te stotteren.
'Ik bedoel natuurlijk, dat ik me daarvoor wil inzetten. Ik wil wonen in een land waar alle mensen welkom zijn, uit welke hoek van de wereld ze ook komen en welke huidskleur ze ook hebben.'
Heel even is het doodstil. Dan begint er iemand te klappen.

En nog iemand en nog iemand. En opeens staan hier en daar mensen op van hun stoel en applaudisseren. De presentator glimlacht en spreidt zijn armen uit. 'Jouw applaus, Amelie', roept hij.

Amelie doet nog een stap naar voren. Ze houdt haar hand tegen haar hart, dat wild tekeergaat. 'Dank u', mompelt ze. Het applaus wordt nog luider en sterft het volgende moment weg. Uit alle boxen klinkt muziek.

De muziek wordt plotseling onderbroken en de presentator zegt: 'De jury trekt zich nu terug voor beraadslaging. Het resultaat wordt over ongeveer een halfuur bekend. In de tussentijd, dames en heren, kunt u uw bestelling aan de obers doorgeven. We mogen niet vergeten te feesten bij het zien van al die mooie meisjes. Dit moet voor iedereen een heerlijke avond worden. Kijk nog eens naar onze kandidates. Als ze voor het slotdefilé terugkomen, dragen ze allemaal een lange jurk. Ik dank u voor uw belangstelling.'

De presentator, een man in smoking en met een kalende schedel, buigt diep. Dan steekt hij de microfoon terug in de standaard en jaagt de vijfentwintig meisjes met uitgespreide armen van het toneel.

'Het is prachtig gegaan!' roept hij en hij wist zich het zweet van het voorhoofd. 'Ik ben trots op jullie, meiden!'

Hij laat zich hijgend in een stoel vallen en roept om de visagiste, die het zweet van zijn voorhoofd moet deppen en zijn glimmende neus moet poederen. Amelie kan de presentator niet uitstaan. Ze kent hem van de televisie. Daar presenteert hij af en toe een muziekprogramma. Ze vindt hem glibberig en zelfingenomen. Maar als hij naar haar lacht, glimlacht ze maar liever terug. Je kunt nooit weten.

Catherine heeft gewonnen! Catherine krijgt een enorme bos bloemen en moet op het erepodium, waar ze onmiddellijk door fotografen wordt omringd. Catherine koestert zich in het geluk; de hele wereld draait op dit moment alleen om haar. Ze lacht en haar witte tanden blinken. Ze gooit haar hoofd in haar nek, speelt met haar haren, draait met haar hoofd opzij schalks voor de camera's, kust mensen van wie ze niet eens weet hoe ze heten, ondertekent contracten die ze niet gelezen heeft, drinkt champagne. Steeds meer champagne.

Amelie en de drieëntwintig andere meisjes lachen als een boer die kiespijn heeft. Ze mengen zich onder de gasten, drinken ook, maar geen champagne. Ze staan bij het buffet, kijken naar de opgemaakte schalen en voelen dan dat ze helemaal geen trek hebben, dat ze helemaal niet meer willen glimlachen, maar veel liever vlug naar huis gaan om daar ongegeneerd te huilen van pure teleurstelling. Amelies gezicht doet pijn van het glimlachen. Ze stopt er gewoon mee. Iemand vraagt haar wat ze vond van de wedstrijd. Een jong meisje met een bril en een paardenstaart. Ze houdt Amelie een microfoon onder de neus. Ze noemt de naam van een televisiezender.

'Vertel eens wat voor gevoel je krijgt als je daar op het toneel staat. Daar dromen toch miljoenen meisjes van?'

'Eigenlijk', zegt Amelie, 'is het net zoals bij een examen. Of zoals je op school voor de klas moet komen en een wiskundesom moet oplossen. Daar lijkt het wel op.'

'Maar hier gaat het om schoonheid. En misschien wel om een grote carrière. Dat is toch iets bijzonders.'

Amelie denkt even na. 'Ik denk', zegt ze, 'dat het alleen iets bijzonders is als je wint.'

'Dus je bent teleurgesteld?'

'Een beetje. Maar eigenlijk had ik er niet echt op gerekend dat ik zou winnen.'

De verslaggeefster lacht. 'Echt niet? Dat kan ik me niet voorstellen.'

'Het was wel heel leuk om het allemaal mee te maken', zegt Amelie dapper, hoewel ze dat op dit moment helemaal niet meent. Ze zoekt de ober, die haar een glas cola zou brengen. Ze moet naar de wc. Opeens wil ze gewoon helemaal alleen door de straten van de stad lopen, de regen op haar gezicht voelen, op haar wimpers. Het lawaai in de grote zaal, het gelach, de stemmen, het stampende ritme van de muziek op de achtergrond, het dreunt allemaal in haar hoofd.

Ze kijkt hulpeloos om zich heen. Catherine is steeds daar waar de schijnwerpers zijn. Aan de galgen die de verslaggevers in de lucht steken, kun je haar weg dwars door de zaal volgen. Aan de galgen hangen de microfoons.

Overal langs de muren is op monitoren te zien wat er in de zaal gebeurt. En overal is de stralende lach van Catherine te zien.

Naast Catherine loopt een klein, zwetend mannetje, dat heel belangrijk doet. Nick heeft hem aangewezen. 'Die man,' heeft hij van tevoren gezegd, 'moet je in de gaten houden. Hij is van IMG. Als hij jou ziet staan, heb je gewonnen.'

Maar het mannetje heeft Amelie geen blik waardig gekeurd. En nu zal er ook geen gelegenheid meer voor zijn. Hij loopt naast Catherine mee, beschermt haar als een bodyguard, begeleidt haar naar een deur waarachter nog meer schijnwerpers schitteren.

'Hé, hier ben ik.' Opeens staat Nick voor haar. Hij heeft een meisje aan de arm. Een meisje met glad, zwart haar en smalle, Aziatische ogen. Een knap meisje in een heel eenvoudig zwart broekpak. 'Amelie, dit is Carla. Ik wil je Carla voorstellen.'

Carla monstert Amelie aandachtig. Ze steekt haar hand uit en Amelie pakt die. 'Hallo', zegt Amelie zacht.

'Ik snap niet', zegt Carla, 'dat jij niet gewonnen hebt. Voor mij was je de beste.'

Amelie wordt rood. Nick lacht haar opbeurend toe.

'Niet de mooiste,' voegt Carla eraan toe, 'maar wel de beste, vind ik. Je hebt een geweldige uitstraling. En ik vond het ook geweldig wat je in het interview zei. Nog afgezien van het feit dat de vragen vrij stom waren.'

'Superstom', zegt Amelie. 'Ik had gedacht dat ze iets behoorlijks zouden vragen. Iets over jezelf.'

'Ze vroegen ook iets over jezelf', zegt Nick. 'Maar misschien niet wat jij verwacht had.'

'Nick, die vragen zijn altijd superstom, dat weet je.'

'Daarmee kun je ook punten scoren. Hoe dan ook,' zegt Nick, 'het is niet gelukt.'

'Dat zegt niets', vindt Carla. 'Het zou mij niet verbazen als Jasper je straks nog even wil spreken.'

Nick straalt. 'Jasper heeft iets te vertellen bij H&M.'

'Hij staat daar, in dat grijze pak, met die coltrui. Daar, hij praat nu met die roodharige troela.'

Carla draait Amelie zo, dat ze de man in het grijze pak kan zien. Hij doet haar een beetje denken aan haar vader. Misschien omdat hij zijn haar net zo draagt en omdat hij zijn bril in zijn haar gestoken heeft. Als ze aan haar vader denkt, voelt Amelie heel even een steek. Maar Nick trekt haar alweer achter zich aan. 'Kom,' zegt hij, 'we dringen ons een beetje naar voren.'

Amelie volgt wat aarzelend. 'Dat kun je toch niet doen', zegt ze.

'Echt wel. Hier kan dat allemaal, meisje.'

Carla heeft een andere vriend gezien, die ze jubelend om de hals valt. Amelie heeft geen idee wie Carla is. Nicks nieuwe vriendin misschien? Nick heeft elke week een andere vriendin, dat heeft ze al ontdekt. Hij doet niet eens meer de moeite om ze voor te stellen.

De man in het grijze pak draait de andere kant op. Hij is nu omringd door mensen die allemaal tegelijk tegen hem praten. Onder hen is ook Jasmijn, een van de kandidates. Jasmijn heeft lange, blonde krullen. Amelie heeft nog nooit zulk mooi haar gezien. Maar Jasmijn heeft ook niet gewonnen.

'Shit', bromt Nick. 'Nu praat hij met haar.'

'Zie je wel, het heeft geen enkele zin. Ik zou liever naar huis gaan', zegt Amelie. 'Ik heb hoofdpijn.'

Nick staart haar verbijsterd aan. 'Wat wil je? Weggaan? Nu? Vanavond? Op het moment waarop we de vruchten van ons werk willen plukken, wil jij weggaan? Spoor je wel helemaal?'

Daar is het weer, Nicks opvliegendheid. Zijn snelle stemmingswisseling. Daarnet was hij nog aardig, maar om een kleinigheidje, omdat Amelie naar huis wil of misschien omdat Jasper zich nu voor een ander meisje interesseert, wordt hij woedend.

Soms maakt het Amelie bang dat Nick zo boos kan worden. En dat hij zich daar achteraf nooit voor verontschuldigt.

'Ik heb verloren, dat heb je toch gezien', zegt Amelie dapper. 'Daar moet je je bij neerleggen. Het spijt me voor jou, Nick, omdat je zoveel moeite voor me hebt gedaan.'

'Voor mij? Het spijt je voor mij? En dat is alles?'

De andere mensen deinzen achteruit. Amelie glimlacht hulpeloos, alsof ze hen wil geruststellen. 'Weet je dat je me ongelooflijk op de zenuwen werkt, Amelie? Dat kleine-meisjes-nummer, dat belachelijke kinderlijke gedoe. Daar word ik niet goed van!' Amelie is vuurrood geworden. Er lopen een paar mensen met gebogen hoofd langs hen heen. 'Wat heb ik dan gedaan?' fluistert Amelie. 'Waarom wind je je meteen zo op?' Nick geeft geen antwoord. In plaats daarvan pakt hij haar bij haar arm en duwt haar gebiedend door het gedrang. Amelie stoot tegen mensen, die daardoor champagne morsen, ze mompelt verontschuldigingen naar alle kanten, maar Nick duwt meedogenloos verder.

Uiteindelijk komen ze bij de uitgang. Iemand doet de deur voor hen open. Nu staan ze in de hal. Hier is de lucht prettiger en het is er koeler. De mensen staan in kleine groepjes te praten, er zijn statafels met kleden tot op de grond en de obers balanceren met bladen met glazen. Nick duwt Amelie naar een statafel. 'Zo,' zegt hij, 'hier blijf je staan. Je komt niet van je plek. Ik probeer die Jasper hierheen te lokken en wee je gebeente als je dan nog zo kijkt als nu.' Amelie vertrekt geen spier. Ze kijkt Nick woedend aan. 'Heb je me begrepen?' tiert Nick.

Amelie zwijgt. Ze knikt.

Nick stormt weg. Nauwelijks is hij verdwenen of Amelie draait zich om. Waar kan ze hier bellen? Ze wil nu gewoon naar huis. Ze heeft haar ouders immers beloofd dat ze na de wedstrijd terug zou komen. Haar vader wil haar vast wel hier afhalen, als ze het hem vraagt.

Een ober blijft staan, houdt haar een schaal met rolletjes ham voor. Bij de aanblik ervan wordt Amelie misselijk. Ze kan nog net 'Nee, dank u' zeggen en dan holt ze naar de deur waarop staat 'Dames'.

Het toilet blijkt een smaakvolle verblijfsruimte met kleine stoeltjes die met gebloemde stof zijn bekleed, lange make-uptafels, goudomrande spiegels, dozen met tissues, kleine witte badhanddoeken, en veel vrouwen die hun neus poederen, hun panty controleren, hun bh in orde brengen of gewoon met een vriendin kletsen.

Amelie blijft bij de deur staan. Ze kijkt zoekend naar een vrije plek. Het is een gegons van stemmen. Erger dan daarbuiten. De klapdeuren naar de toiletten gaan voortdurend open en dicht. Steeds weer verdwijnen er vrouwen, verschijnen er andere.

'Amelie!' klinkt dan een stem.

Ze krimpt in elkaar. Kijkt om. Geen enkel bekend gezicht.

'Amelie, wat heerlijk! Ik dacht al dat ik je in de hal moest gaan zoeken, maar gelukkig ontmoeten we elkaar hier!'

Een kleine, mollige dame komt op Amelie af, haar armen uitgestrekt, met heel veel bonte armbanden aan de ene arm. In haar spierwitte haren steken vele zwarte kammetjes. Ze draagt een zwarte jurk, met daarbij een helderrode sjaal van zijde om haar hals. 'Ik ben Inez.' Ze pakt Amelies handen en kust haar links en rechts op de wangen. 'Lieve kind, je was goddelijk.'

Amelie glimlacht verlegen. Ze heeft geen idee wie deze vrouw is. Inez legt haar hand om Amelies middel en doet alsof ze elkaar al eeuwen kennen.

'Heb je een agent?' vraagt Inez.

Amelie haalt haar schouders op. Is Nick haar agent?

Inez gooit haar hoofd achterover en lacht een parelende lach.

'Je bent verrukkelijk, kindje!' roept ze. 'Het eerste wat je in deze business moet hebben, is een agent. Ik ben agente, kindje. Ik kan van jou een ster maken, als je dat wilt. Ik heb al vele sterren op mijn naam staan, natuurlijk niet de allergrootste, ik ben niet IMG, maar mijn agentschap is toch vrij bekend. Wie heeft je hier gebracht?'

'Nick Van Osselaer', zegt Amelie. 'Hij is fotograaf. Hij woont hier in de stad.'

'Ah, Nick.' Inez' stem wordt iets koeler. 'Natuurlijk, ik had het kunnen weten.' Ze glimlacht weer en tikt Amelie op de arm. 'Maar dat geeft niets. We redden het wel. Heb je al een shoot gedaan?'

'Nick heeft heel veel foto's van me gemaakt en ik heb ook een setcard', zegt Amelie.

'Ja, dat is normaal. Ik vraag of je al eens een shoot hebt gedaan voor een bedrijf of een tijdschrift.'

'Nee.' Amelie schudt haar hoofd. 'Maar Nick zegt dat je geduld moet hebben.'

'Papperlapap, geduld! Allemaal onzin, kindje. Je moet de juiste connecties hebben. Ik heb de juiste connecties, Nick Van Osselaer niet. Die is hooguit derde keus. Hij heeft zijn grote tijd gehad, een paar jaar geleden toen hij uit Brazilië terugkwam. Maar ondertussen is hij niet meer vernieuwend. Helemaal niet.' Inez doet een stap achteruit, legt haar hoofd schuin: 'Je moet met een grote naam werken. Met iemand als Mario.'

'Wie is dat?' vraagt Amelie verlegen.

'Mario Testino. Hij is de top. Heeft pas nog Kate gefotografeerd.'

'Wie?' vraagt Amelie timide.

'Kate Moss', voegt Inez er als toelichting aan toe.

'Ze behoort tot de top tien. Die ken je vast wel.'
Natuurlijk kent Amelie haar. Iemand duwt Amelie opzij. Ze
wordt omhuld door een wolk parfum. Inez trekt een grimas.
'Kom, we gaan hier weg. Zo ruik je straks naar een hele
parfumafdeling.' Ze duwt Amelie naar de deur.
'Mijn auto staat buiten', zegt ze, 'met de chauffeur. We gaan
hier weg, kindje. De chauffeur moet ons ergens brengen waar
we rustig kunnen praten.'
Amelie kijkt zoekend om zich heen naar Nick. De tafel waar
ze moest wachten, is ondertussen ingenomen door anderen,
die daar bier drinken en zich prima amuseren. Geen spoor
van Nick.
'Ik heb eigenlijk afgesproken met Nick', zegt Amelie
aarzelend. 'Ik zou hier op hem wachten.'
'En dan?' vraagt Inez.
'Ik weet het niet. Hij zou proberen een man, ik geloof dat hij
Jasper heet...'
Inez slaakt een kreet. 'Lieve hemel, Jasper, kan hij niets
anders bedenken? Wil je foto's maken voor een catalogus?
Zoals elk provinciekind van twijfelachtig allooi? Jij hoort
vooraan te staan, mijn kind, en ik zal zorgen dat je daar
komt. Jij hoort in Parijs, Milaan, New York. Je moet werken
met Karl Lagerfeld, voor Dolce & Gabbana, voor Louis
Vuitton, voor Prada, snap dat dan!'
Amelies oren gloeien. Ze weet niet wat ze van deze Inez moet
denken. Ze komt zo doortastend over, zo zeker. Heel anders
dan Nick. Inez is een jaar of vijftig, misschien al wel zestig.
Aan haar vingers draagt ze ringen met dikke briljanten. Alles
aan haar oogt duur, zelfs haar make-up. Een vrouw als Inez
heeft Amelie tot nu toe alleen maar op de televisie gezien of
in tijdschriften.

'Dus je moet kiezen, kindje. Wat schnabbeltjes in de provincie of liever wereldster worden.'
Inez blijft voor Amelie staan.
Amelie glimlacht, haalt haar schouders op. 'Dat is een vreemde vraag', zegt ze. 'Ik bedoel, dat kun je toch niet zomaar zelf even beslissen.'
'Oh zeker wel, mijn kind, dat kun je wel. Als je Inez Nielissen kent. Dan wel. Want kind, ik ken ze allemaal. Ze eten uit mijn hand, omdat ze weten dat ik een neus voor waar talent heb. En jij bent een talent, mijn schat. Kom, we gaan even een hapje eten in een rustige bistro. Beter dan die kermis hier. En de champagne is veel te warm.'

Wanneer ze buiten komen, regent het. Limousines zover het oog reikt. Inez haalt een klein zilveren fluitje uit haar decolleté en steekt het in haar mond. De schrille fluittoon doet de mensen in de omgeving in elkaar duiken. Inez glimlacht naar rechts en naar links. Onder de overkapping verdringen zich de mensen die op een taxi wachten. 'Geen paniek, niet nodig!' roept Inez. 'Dit is voor mijn chauffeur.' Er lachen een paar mensen, anderen tieren. Er worden paraplu's opgestoken, vrouwen in avondkleding nemen hun schoenen in hun hand en lopen op blote voeten door de plassen naar hun geparkeerde auto's. Koplampen vlammen twee keer op. 'Daar is hij, liefje', zegt Inez. 'Blijf maar hier waar het droog is. Amadeo rijdt wel hierheen. We hoeven ten slotte niet ons kapsel te laten bederven, wat jij?' En Inez straalt weer. Ze heeft een lach die diep uit haar buik lijkt te komen. Als ze lacht, trillen haar boezem en haar kin ook. Amelie blijft Inez aankijken, zo'n fascinerende vrouw heeft ze nog nooit gezien.

Er rijdt een witte limousine voor, zonder enig geluid. Een chauffeur in een zwart pak springt eruit en doet het achterportier open. 'Madame', zegt hij en buigt.

En dan tegen Amelie: 'Mademoiselle.'

'Amadeo, tu connais le petit restaurant au bord du canal?'

'Le Bistro Nouveau?'

'Exactement. C'est là que nous voulons manger et bavarder tranquillement.'

Amelie heeft al een paar jaar Frans gehad op school. Ze begrijpt dat Inez zegt dat de chauffeur hen naar een bepaalde bistro moet brengen. Ze hoopt echter niet dat ze nu ook Frans moet spreken met Inez.

De wagen verlaat de file van wachtende auto's. Op hetzelfde moment ziet Amelie Nick. Hij stormt vanuit de grote hal naar buiten en komt met opgeheven armen op haar af. 'Halt!' roept hij. 'Amelie!'

'Dat is Nick', zegt Amelie. Haar keel knijpt dicht. Inez werpt een blik uit het raam. Ze lacht. 'Ach ja, die lieve Nick.'

Het autoraam glijdt geluidloos naar beneden. Inez steekt haar hoofd uit het raam.

'Nick, ik ontvoer je beschermelinge!' roept ze vrolijk.

'Blijf staan, gemene hoer!' Nicks stem slaat over.

'Allons-y!' roept Inez tegen de chauffeur. Met een wanhopige sprong gooit Nick zich op de motorkap van de limousine.

Heel even ziet Amelie zijn van woede vertrokken gezicht.

'Amelie!' roept hij. 'Ik moet met je praten!'

'Jij hebt je kans gehad, chéri', zegt Inez vrolijk. 'Nu is het mijn beurt. Amadeo, allons-y.'

Amadeo geeft gas, de motor brult. Geschrokken springt Nick van de auto. Als ze langs hem rijden, steekt Nick zijn middelvinger op naar Inez.

Amelie laat zich tegen de rugleuning zakken. Ze sluit haar ogen. 'Oh, wat afschuwelijk is dit', fluistert ze.

Inez lacht. De diepe lach, die uit haar buik lijkt te komen. Het lijkt haar helemaal niets te doen dat Nick zo nijdig is. Amelie weet niet wat goed is en wat verkeerd. Had ze niet met Nick moeten praten? Had ze niet tegen Inez moeten zeggen dat ze een afspraak heeft met Nick? Maar dat heeft ze toch gezegd? Had ze moeten eisen dat ze zouden wachten tot Nick er was? Om alles samen te kunnen bespreken. Maar wat eigenlijk? Wat valt er te bespreken?

De auto glijdt door de nacht. De ruitenwissers duwen de regen weg en het volgende moment is de ruit alweer wazig, zo veel regen valt er. Je hoort het tikken van de druppels tegen de ruit.

'Merde', vloekt Inez. En lacht. 'Hondenweer, niet?'

Amelie knikt.

'Elk jaar is het zulk weer bij de modellenwedstrijd. Ik weet het niet. Iemand van de mensen kan het niet goed vinden met de weergoden.'

Ze rijden langs een rivier. De koplampen worden weerspiegeld in het water. Hier en daar liggen witte schepen aangemeerd; het zomerseizoen is allang voorbij. Nu blijven de boten er tot het voorjaar liggen, mooi en wit.

Amelie leunt met haar hoofd tegen de ruit en kijkt naar het silhouet van de stad. Wat een prachtige stad. Hier komen toeristen uit de hele wereld, maar ook politici en in hun kielzog journalisten. Geen zichtbare armoede hier, een enkele zwerver misschien, maar zeker geen bedelende kinderen. Amelie denkt aan de vraag van de presentator. Ze weet niet meer precies wat hij gevraagd heeft. Ze moest een of ander project voor arme mensen bedenken.

De auto gaat langzamer rijden. Inez belt het restaurant en reserveert een tafel voor twee personen.

Ze stoppen voor een kleine, chique bistro. Er drupt regen van het afdak. De stoelen eronder zijn op elkaar gestapeld; de tafels zijn opgeklapt. Op mooie dagen wordt hier alles weer ingericht voor de mensen, die ondanks de kou buiten willen zitten. Nu ziet het er echter uit alsof het nooit meer mooi weer zal worden. De deur van het restaurant gaat open en er komt een in het wit geklede ober naar buiten. Hij doet een enorme zwarte paraplu open. Amadeo stapt uit de auto, roept de ober iets toe en doet het portier open.

'Merci, Amadeo, chéri', zegt Inez. 'Tu peux t'en aller maintenant. On va prendre un taxi, quand on a terminé ici.'

Vreemd, denkt Amelie, *ze heeft een chauffeur en nu stuurt ze hem weg. Maar wat gaat het mij aan?*

De ober begeleidt hen naar binnen.

Het restaurant is heel voornaam ingericht. Banken met rood fluweel voor wit gedekte tafels. Overal kaarsen. Bloemen. In het midden van de tafels staan glinsterende karaffen met cognac en brandewijn.

Amelie is nog nooit in zo'n gelegenheid geweest. Nick heeft haar altijd alleen meegenomen naar kroegjes of naar McDonald's. Of naar de snackbar naast de studio. Dit is een andere wereld. Amelie ziet smaakvol geklede dames, heren in kostuum, wijn die fonkelt in fraaie hoge glazen. De ober brengt Inez en Amelie naar een tafel met twee pluchen banken.

'Waar wil jij zitten, liefje?' vraagt Inez.

'Maakt me niets uit.' Amelie glimlacht. Ze probeert niet te laten zien hoe verlegen en bedeesd ze zich nu voelt.

'Prima, kom dan hier maar zitten. Ik ga zo zitten dat ik de

mensen in het restaurant goed kan bekijken. Als er een beroemdheid langskomt, zal ik het wel zeggen.'

'Komen hier dan beroemde mensen?' vraagt Amelie.

'Oh ja, ik heb hier onlangs met Vergani gegeten.'

Ze gaan zitten en spreiden de stoffen servetten over hun schoot uit.

'En wie is Vergani?' vraagt Amelie.

'Vergani is de belangrijkste man van de modeshows in Milaan. Hij coördineert de afspraken voor de modellen. Zodat niemand overboekt wordt, snap je. Iemand als Gisele, het liefje van Leonardo Di Caprio, willen ze immers allemaal graag hebben, maar ze kan niet tegelijkertijd lopen voor Chanel, Dolce & Gabbana en Louis Vuitton, en die modeshows vinden vrijwel tegelijk plaats. Dat is van oudsher zo, hoe belachelijk het ook is.' Inez lacht weer. 'Maar in deze branche is wel meer belachelijk.' Ze wenkt de ober. 'Twee glazen champagne voor ons graag, maar bien froid. In die tent waar we daarnet waren, hebben ze ons lauwe limonade geserveerd.'

De ober lacht goedmoedig en verdwijnt.

Inez legt haar handen gevouwen op het tafelkleed, buigt zich voorover en kijkt Amelie in de ogen. 'Hoe oud ben je precies, kindje?'

Amelie wordt rood. 'Ik ben vier weken geleden vijftien geworden.'

Inez knikt. 'De beste leeftijd', zegt ze. 'IMG heeft juist in New York een Tsjechisch meisje van 15 onder contract genomen. Vera Huppeldepup. Over een jaar behoort ze tot de top van de modellenwereld en verdient ze miljoenen. En gisteren zat ze nog in een of ander dorp aan het eind van de wereld in een schoolbank. Vreemd, niet? De wereld is gek.'

'Ik ga ook nog naar school', zegt Amelie. 'Mijn vader is leraar en mijn moeder secretaresse.'

'Ja, ja, dat weet ik.' Inez kijkt haar indringend aan. 'En ze zijn waarschijnlijk ongelooflijk trots op hun knappe dochter.'

Amelie slikt. Als ze Inez vertelt dat haar ouders helemaal niet akkoord gaan met haar modellencarrière, verliest zij mogelijk haar belangstelling voor haar. Maar Inez vraagt niet verder naar Amelies ouders. Kennelijk wil ze het helemaal niet weten.

De ober zet met een elegant gebaar de beide glazen voor hen neer.

'Lust je dat spul eigenlijk wel?' vraag Inez als ze haar glas heft.

'Natuurlijk', stamelt Amelie. Ze is niet zo goed in jokken. Maar moet ze dan tegen Inez zeggen dat ze nog nooit van haar leven champagne heeft gedronken? Bij hen thuis drinken ze zoiets niet. Haar moeder zou zeggen dat het weggegooid geld is. Je kunt er een lekkere wijn van drinken en daar heb je meer aan. Maar Inez denkt daar beslist heel anders over. Inez lijkt een vrouw die van alles altijd alleen maar het duurste goed genoeg vindt. Amelie kleurt van trots als haar duidelijk wordt dat Inez van al die knappe meisjes juist haar heeft uitgekozen om in deze bistro te gaan eten. Dat is een onderscheiding. Daar moet ze blij om zijn. En ze moet niet langer aan Nick denken. Wat zou hij in zijn woede doen? Wat had hij haar willen vertellen?

Ach ja, laat maar zitten. Hier zit ze nu met haar agente en laat ze zich vertellen wat het leven voor verrassingen te bieden heeft.

6

Amelie wacht op een telefoontje van Inez. Of van haar
secretaresse. Of van een moderedactrice. Inez heeft gezegd:
'Elk moment kan het zo ver zijn, hartje.'
Amelie neemt zelfs haar gsm mee naar het toilet om het
belangrijke telefoontje niet te missen.
Maar als haar gsm eindelijk gaat, is het gewoon haar moeder.
Amelie schrikt zo dat ze zich verslikt en een hoestbui krijgt.
'Lieverd!' roept haar moeder uit. 'Ben je ziek? Wat heb je?'
'Ik heb niets, mama, ik verslikte me. Wacht even. Ik neem
een slok water.'
Ze holt naar de wasbak, vult het glas en drinkt. Daarbij
verslikt ze zich nog eens. Het is de nervositeit, dat weet ze
wel. Ze kan er echter niets aan doen. In de spiegel boven
de wasbak ziet ze haar gezicht. En de rode vlekken van
opwinding... als iemand haar nu zou zien... Amelie pakt de
telefoon weer. 'Ben je er nog, mama?'
'Natuurlijk,' zegt haar moeder, 'ik loop niet weg.' Haar stem
klinkt niet onvriendelijk, maar wat vreemd. Verkrampt. Er
is iets veranderd tussen haar en haar ouders. Niets is meer
zo natuurlijk en vanzelfsprekend als het ooit was. Amelie
vermoedt dat haar moeder dat net zo ervaart. Het gevoel doet

pijn. Maar wat kan ze eraan doen?

'Ik wilde alleen zeker weten dat je nu weer naar huis komt,' zegt haar moeder zacht, 'nu alles achter de rug is. Of je je aan onze afspraak zult houden.'

Amelie doet haar ogen dicht. *Nu alles achter de rug is!* Hoe klinkt dat nu? Alsof haar ouders blij zijn dat ze de wedstrijd verloren heeft. Ondertussen is ze dankbaar dat niemand van hun gezin gekomen is. Dan zou ze achteraf alleen nog maar meer teleurgesteld geweest zijn. En waarschijnlijk had ze dan Inez Nielissen niet ontmoet. Omdat haar ouders haar onmiddellijk in de auto geladen zouden hebben en ze al lang op de terugweg naar huis was geweest, terwijl de agente het hele gebouw zou hebben afgezocht naar haar...

'Mama, ik heb nu een agente! Echt, een heel beroemde vrouw! Je zult haar vast graag mogen als je haar ontmoet. Ze heeft gezegd dat ze binnenkort met jullie wilt kennismaken. En dan kan ze alles uitleggen.'

Haar moeder schraapt haar keel. 'Een agente? Heb je een agente?'

'Ja, dat zeg ik toch. Ze kan me misschien plaatsen bij de grote shows in Milaan en Parijs. Het kan elk moment beginnen!'

'Liefje, je bent minderjarig. Weet die agente dat?'

Amelie aarzelt. Het had Inez niet gestoord dat ze nog geen achttien is. 'Natuurlijk weet ze dat. Alle meisjes hier zijn nog minderjarig. Als je achttien bent, ben je veel te laat voor een grote carrière.'

'Dus? Je wilt doorgaan?'

'Mama, het begint nu toch pas! Inez legt contacten voor me in Parijs en New York! Misschien zit ik volgende week al in het vliegtuig naar Londen of zo! Alles is mogelijk! Het kan elk moment beginnen!'

Het blijft stil aan de andere kant van de lijn. Zo stil dat Amelie na een poosje fluistert: 'Mama, ben je er nog?'

'Ik ben er nog. Maar ik weet niet wat ik moet zeggen. En ik ben teleurgesteld', zegt haar moeder na een poosje. Haar stem is weer anders geworden. 'We hadden toch een andere afspraak. Namelijk dat je na de wedstrijd naar huis zou komen als je niet had gewonnen. En je hebt niet gewonnen, kind. Ik wil dat je in de eerstvolgende trein stapt. Dat je vrijwillig komt. Of moeten we je door de politie laten halen? Wil je dat?'

'Maar mama, begrijp je het niet? Ik kan nu onmogelijk weg hier. Dat is echt uitgesloten! Inez is voor me op pad. Ze heeft nu misschien al afspraken gemaakt. Ik moet in de startblokken staan, heeft ze gezegd. Ik leef min of meer uit mijn koffer nu. Mama, toe, wees nu eens blij voor me. Iedereen hier denkt dat ik een geweldige carrière tegemoet ga. Hoe zou jij het vinden als je je dochter opeens op de cover van Marie Claire ziet staan? Zou je dan niet supertrots zijn?'

Een korte pauze. Doodse stilte. Tot slot zegt haar moeder met schorre stem: 'We zijn zo ook trots op je, Amelie, papa en ik. Altijd. Hoe is het met je plannen om kinderarts te worden? Architect? Je had zo veel plannen! En je geeft dat allemaal op voor zoiets belachelijks als modefoto's? Ik wil dat je die Inez belt en zegt dat we je komen ophalen. Dat het nu afgelopen is met dat theater.'

Amelie haalt diep adem. Dan gilt ze: 'Mama, als jullie dat doen, dan zweer ik dat ik in de eerste de beste trein stap en terugga, echt waar! Jullie kunnen me niet thuis vastbinden!'

'En je schoolexamen dan?'

'Als ik beroemd ben, vraagt niemand meer naar mijn examen! En ga me nu niet vertellen dat ik ook na mijn examen nog als model kan beginnen. Dan is het allang te laat. De meisjes hier zijn allemaal zestien. En hun ouders vinden het helemaal prima! De tijden zijn veranderd, mama. Of je op de universiteit hebt gezeten of niet, interesseert vandaag de dag niemand meer.'

'Misschien niet de mensen met wie je nu omgaat', zegt haar moeder vinnig. 'Ergens anders tellen opleiding en kennis wel. Misschien niet bij die modefotografen, dat zou kunnen. Maar die zijn niet de hele wereld, kindje.'

'Wel waar, mama, ze zijn *mijn* hele wereld. Ze horen bij de wereld die mij aanstaat en die bij mij past. En kinderarts wil ik allang niet meer worden!'

Opnieuw stilte. Amelie hoort het tingelen van een tram. Een windvlaag heeft het raam dat op een kier stond, open geblazen. Koude, natte sneeuwlucht waait naar binnen.

'En als je geen opdracht krijgt?' vraagt haar moeder ten slotte. Haar stem klinkt opeens doodmoe.

Amelie glimlacht. Natuurlijk zal ze opdrachten krijgen. Misschien niet vandaag, maar wel morgen, zeker overmorgen. Dan zit ze al naast Inez in het vliegtuig. Business class. Waar je na vertrek champagne krijgt. Niet dat ze beslist champagne wil drinken, maar alleen al het feit dat een stewardess zich over haar stoel buigt en haar glimlachend een glas champagne aanbiedt – waanzinnig!

'Mam, als er niemand belt, als ik niet geboekt wordt, kom ik heus wel terug. Dat is toch duidelijk.'

'Ah', zegt haar moeder lijzig. 'Dat is dus duidelijk.'

'Maar het gaat wel lukken, ik weet het zeker!'

'Goed, dan maken we een afspraak: we geven je nog eens twee weken de tijd. Maar als je dan nog geen opdracht hebt gekregen, kom je terug. Zonder discussie.'

Amelie lacht. 'Dank je wel, mama. Jullie zijn geweldig!'
Daarna beëindigt ze het gesprek met een druk op de knop
en schakelt haar gsm meteen uit. Voor het geval dat haar
moeder zich toch nog bedenkt...

from: Judith@girls13+.fun
to: Amelie@girls13+.fun

Hallo Amelie,
Hoe gaat het? Met mij gaat het prima, ook al zal je dat waar-
schijnlijk niet interesseren. Misschien ben je me ondertussen
helemaal vergeten, heb je me voor altijd afgeschreven. Het zou
me niet verbazen. En: het is ook niet erg. Ik heb jou ook al bijna
helemaal uit mijn leven geschrapt. Dat gaat heel makkelijk als
je weet dat iemand een vriendschap zo gemeen heeft verraden als
jij onze vriendschap hebt verraden.
Ik trek nu veel op met Sarah en dat is een vriendschap zoals
vriendschap moet zijn. We accepteren elkaar over en weer, we
zijn eerlijk tegen elkaar en hebben geen geheimen voor elkaar.
En vooral: de een probeert niet de ander iets afhandig te maken.
Ik heb Sarah overigens het verhaal van Nick verteld. Hoe hij
mij de hele dag heeft gefotografeerd en jou slechts één keer. Hoe
hij jou eigenlijk niet aangekeken heeft. En hoe gemeen jij bent
geweest om gebruik te maken van het feit dat ik ziek was om
contact op te nemen met Nick. En natuurlijk het verhaal dat alle
foto's verscheurd zijn! Je hebt me niet eens een foto van mezelf
gegund. Sarah was verbijsterd! Ze had zo'n medelijden met me
dat ze de hele middag alleen maar heeft gehuild. Ze kan zich
gewoon niet voorstellen dat iemand zo gemeen tegenover een
ander is. En dan ook nog wel tegenover je zogenaamde beste
vriendin!

Ik wilde je alleen even zeggen dat Sarah en ik je gisteren op de televisie hebben gezien. We wisten van je ouders dat je aan die modellenwedstrijd meedeed. Dat je ouders helemaal wanhopig zijn, zal voor jou geen nieuws zijn. Ik denk eigenlijk dat ze helemaal niets meer met je te maken willen hebben, maar dat gaat me niets aan. Dat is jullie zaak. Ik meng me niet in jullie gezinssituatie. Ik heb al genoeg aan de verhalen over onze zogenaamde vriendschap.

Maar goed – gisteravond op televisie... eerlijk gezegd hebben Sarah en ik ons slap gelachen. Lieve hemel, dat afschuwelijke badpak en hoe je opgemaakt was! En zoals jullie als een stel eenden afmarcheerden!

Sarah zei dat dat alleen is om ervoor te zorgen dat de rijke, dikke kerels in het publiek zich kunnen opgeilen. Daarom zijn die badpakken ook zo hoog opgesneden. Dat jullie er niet van griezelen om zo voor die vette kerels te paraderen!

We hebben echt heerlijk gelachen. Toen je twee keer op die naaldhakken zwikte, waren we al zo knock-out dat we eigenlijk niet eens meer kónden lachen. Oh ja, en dat interview was helemaal een giller! Maar om aan te tonen hoe fair Sarah is: ze zei dat het ook kwam door de presentator. Als hij maar een enigszins intelligente vraag had gesteld, zou je in elk geval minder onzin uitgekraamd hebben. Sinds wanneer heb je trouwens zo'n piepstemmetje? We konden eerst niet eens horen wat je zei. Vroeger praatte je heel anders. Maar misschien is dat wel niet zo. Misschien heb ik wel een heel verkeerde herinnering aan onze vriendschap. Dat ligt vast aan mij. Ik heb, naïef als ik was, gedacht dat we elkaar echt graag mochten. Maar waarschijnlijk ben jij altijd alleen maar op je eigen voordeel in onze vriendschap uit geweest. En toen ik je de eerste gelegenheid bood, heb je meteen toegehapt. Ik kan alleen maar zeggen: als je

weer terugkomt, doe me dan een plezier en spreek me niet aan!
Laten we gewoon doen of we elkaar nooit hebben ontmoet. Ik
denk dat dat beter is voor ons allebei.
Het ga je goed,
Judith

Amelie zit in het internetcafé bij de universiteit en huilt.
Iemand vraagt haar of ze de computer nog nodig heeft. Ze
schudt haar hoofd, propt haar spullen in haar rugzak, betaalt
de koffie en holt naar buiten.

Wanneer ze in het kamertje in haar pension komt, huilt ze
nog steeds.

7

Amelie hoort voetstappen in de gang. Eerst hoorde ze voetstappen in het trappenhuis. Het kamertje waarin ze nu woont, heeft zulke dunne wanden dat je iedereen hoort die zijn kamer verlaat of van het werk thuiskomt. In *Pension Engel* wonen veel mensen die 's morgens naar hun werk gaan en 's avonds moe thuiskomen. Vertegenwoordigers, werklozen die een nieuwe baan zoeken, vrouwen die gevlucht zijn voor hun geweiddadige man, een oud echtpaar dat uit hun woning is gezet. Amelie ziet nooit iemand in de ontbijtzaal, omdat ze pas veel later opstaat. Maar 's avonds ziet ze haar buren, wanneer ze bleek en moe thuiskomen van het werk waarin ze geen plezier hebben, de rug gebogen, het voorhoofd gefronst, nooit in staat de ander al was het maar een glimlachje te schenken.

Haar identiteitskaart heeft Amelie bij de receptie moeten afgeven. Deze keer waren er geen problemen over haar leeftijd, omdat Inez erbij was en alles geregeld heeft. Als Inez ergens opduikt en met grote gebaren orders uitdeelt en eisen stelt, durft niemand tegen te spreken.

'Dit meisje is inderdaad pas vijftien,' heeft Inez gezegd, 'maar over een jaar wordt ze behandeld als een prinses.'

Amelie was vuurrood geworden onder de wantrouwende blik van de pensionhoudster. 'Dat soort prinsessen ken ik. Ik kan ze missen.'

Inez heeft er niet op gereageerd. Ze heeft vijfhonderd euro neergelegd en gezegd: 'De aanbetaling. Ik verwacht dat Amelie elke dag schone handdoeken krijgt en dat het beddengoed minstens tweemaal per week wordt verschoond.' Elke dag schone handdoeken! Twee keer per week het bed verschoond! *Ik ben binnenkort inderdaad een prinses,* dacht Amelie.

De badkamer is op de gang, maar Amelie heeft een eigen toilet en een wasbak waar ze haar tanden kan poetsen. Verder heeft ze een kast op haar kamer en een tafeltje met een gebloemd kleedje en een plantje erop. Het kantelraam heeft rolgordijnen van plastic en donkergroene gordijnen die in rails lopen. Vanuit het raam kun je over de daken van de stad kijken. Soms zie je zelfs de maan.

Het is negen uur en Amelie ligt nog in bed. Op het voeteneind liggen de tijdschriften waar ze tot laat op de avond in gebladerd heeft. Modetijdschriften, glossy's. Eén bladzijde ligt opengeslagen: Brad Pitt flirt met Angelina Jolie op het strand van St. Barths.

Amelie is in slaap gevallen met dat beeld in haar hoofd. Op een dag zal ze ook uitgenodigd worden op zeiljachten, zal ze met de president van L'Oréal en Juvena lunchen (natuurlijk kip zonder vel, een beetje sla en een glas water), ze zal in het vliegtuig eerste klas reizen en in hotels zal haar bagage naar haar kamer worden gebracht. Daar heeft Amelie die nacht van gedroomd. Maar toen ze wakker werd, was haar kussen nat van de tranen. Het verbaast haar – eigenlijk heeft ze helemaal geen reden om verdrietig te zijn. Natuurlijk zijn er wel een paar dingen die haar dwarszitten, maar ze probeert daar niet aan te denken. Inez bijvoorbeeld. Eerst was ze zo ongelooflijk aardig, heeft ze haar altijd met de limousine laten ophalen en is ze met haar meegegaan naar afspraken. Ze zijn naar chique bureaus geweest, naar studio's, die heel anders waren dan de studio van Nick. Amelie moest zich van alle kanten laten fotograferen, moest vragen beantwoorden en glimlachen, altijd maar glimlachen. Maar hoe vaker de mensen haar weer weggestuurd hebben zonder opdracht, hoe zwijgzamer Inez werd. Geen uitnodigingen voor het avondeten meer, geen champagne. Niet dat Amelie na dat eerste glas graag altijd champagne wil drinken, maar ze heeft wel gemerkt hoe Inez haar daarmee heeft willen laten blijken hoeveel ze in haar ziet. Nu ziet ze kennelijk niet meer zo veel in Amelie. Soms stuurt ze Amelie alleen naar een afspraak, maar dan is het bureau minder voornaam dan het vorige, de mensen zijn er minder beleefd en aan het eind brengt men haar niet eens naar de lift.

Pas geleden is ze bij een casting voor een lingeriecatalogus geweest. Daar moest ze zich uitkleden zodat ze haar figuur beter konden zien. Opeens was Amelie in paniek geraakt en ze is gewoon weggegaan. Toen ze Inez daarna via de telefoon wilde vertellen over de casting, wist die alles al: 'Dank je, ik ben op de hoogte. Je hebt een verschrikkelijke indruk achtergelaten. Waarom doe je zo preuts? Dit is slecht voor de zaken.' Over New York en grote shows in Milaan en Parijs heeft Inez het al heel lang niet meer gehad.

Gisteren was weer zo'n sombere dag. Amelie heeft het van 's morgens vroeg tot 's avonds laat koud gehad. Het had 's nachts gesneeuwd en overdag geregend en tegen vijf uur, toen ze terugkwam van een shoot bij een fotograaf, waren de straten spiegelglad geweest. Ze is uitgegleden op haar leren zolen en de zoom van haar jas is kapotgegaan. In een warenhuis heeft ze een naald en bijpassend garen gekocht, maar 's avonds op haar kamer waren haar handen zo klam dat de naad scheef en hobbelig is geworden. De jas hangt nu aan de kast. Het is een verschrikkelijke jas. Ook het jack naast de deur ziet er verschrikkelijk uit. Een kinderjack, goed genoeg om naar de Sint-Jansschool te gaan en niet op te vallen tussen honderden andere scholieren. Maar als je daarmee reclamebureaus moet aflopen, voel je je vrij sjofel. Het is allemaal zo pijnlijk. Amelie trekt meestal haar jas of het jack al op straat uit. Waarschijnlijk heeft ze daarbij kou gevat. Nu ligt ze in bed, haar hoofd dreunt, haar neus is opgezwollen. En het hoofdkussen nat van de tranen.

Ze hoort voetstappen, die voor haar deur stilhouden.
'Is het hier? Woont ze hier?' vraagt een stem.
Amelie schiet overeind, drukt haar handen tegen haar warme slapen. Haar vader!
Ze slingert het dekbed van zich af, springt uit bed, holt door de kamer heen en weer.
'Ja, nummer honderdzevenentwintig. Zoals ik zei. Hier woont uw dochter. Ik kan u meteen wel zeggen dat ze al vijf dagen achterloopt met betalen.' Amelie loopt op haar tenen heel dicht naar de deur en luistert. Er wordt geklopt.
'Ja?'
'Amelie! Ik ben het, papa, doe eens open!'
In panische angst controleert Amelie of de sleutel omgedraaid is. Ze holt naar de kast, rukt haar badjas eruit en trekt die aan. Ze bindt de ceintuur om haar middel. Haar vingers trillen.

'Wat is er?' roept haar vader.

Hij rammelt aan de klink. Amelie ziet hoe de sleutel trilt. Ze wordt misselijk. Ze bibbert van angst, maar hoeft eigenlijk helemaal niet bang te zijn. Het is toch gewoon haar vader? Ze is nog nooit bang geweest voor haar vader. Hij heeft altijd geprobeerd het leven voor haar aangenaam te maken, heeft belangstelling voor haar getoond, voor haar gezorgd. Waarom is ze dan opeens bang? Waarom krimpt haar maag samen? Waarom wil ze dat hij weer weggaat, naar huis, en haar hier alleen laat?

'Niets dan ergernis', roept de pensionhoudster, 'heb je van die jonge meiden. Ze lopen weg van huis...'

Amelie haalt diep adem. *Ik ben niet weggelopen,* denkt ze, *niet echt.*

'Ik ben er altijd voor om de politie te bellen,' gaat de pensionhoudster verder, 'maar dan staan die meiden met het contract in de hand, alles ondertekend en in orde. En dan zeg ik tegen mezelf: ze moeten het zelf weten.'

Het kloppen op de deur wordt dringender. 'Amelie, doe eens open, alsjeblieft.'

Ze draait de sleutel om, drukt de klink naar beneden en trekt de deur open.

Daar staat haar vader, in een donkerblauwe regenjas en een alpinopet op zijn hoofd. De jas is nat. De alpinopet ook. Het zal weer geregend hebben buiten. Zijn schoenen, zwarte leren schoenen, glanzen. Hij draagt een grijze broek en de sjaal die Mirjam hem met Kerstmis gegeven heeft. Of was het voor zijn verjaardag? Opeens kan Amelie het zich niet meer herinneren. Zijn ogen zijn rood omrand, zijn lippen bleek, zijn voorhoofd is krijtwit.

Achter hem komt de pensionhoudster piepen. Kleine,

heldere, begerige oogjes in het blozende gezicht. Als ze zich beweegt, schudden haar wangen, de dubbele kin.

'De rekening', zegt ze, 'is sinds vijf dagen niet betaald.'

'U krijgt het geld wel', zegt Amelie.

'Goed, meer wil ik niet weten.' De vrouw draait zich om.

Aan de krakende traptreden is te horen hoe ze naar beneden loopt.

Amelies voeten worden koud, ze staat op het linoleum en heeft het gevoel alsof haar voetzolen aan de gladde, met zeep gereinigde grond vastkleven. Ze durft haar vader niet aan te kijken, staart naar de tweede knoop van zijn jas. Het knoopsgat is een beetje uitgescheurd. Het ziet er slonzig uit.

Vreemd, denkt Amelie, anders is hij altijd zo keurig. Wat zou er met zijn jas gebeurd zijn?

Als ze alleen aan zijn knoop denkt, is het gemakkelijker. Dan kan ze het beter aan, dat ze tegenover haar vader staat, dat ze zijn korte, opgewonden ademhaling hoort; dan kan ze er tegen dat hij zo wit is, alsof hij elk moment kan omvallen, dan kan ze er tegen dat hij naar sigaretten en slapeloze nachten ruikt.

'Hallo lieverd', zegt hij.

Amelie probeert te glimlachen. Als ze glimlacht, doet haar gezicht tegenwoordig pijn als een grote, open wond.

'Hallo papa', fluistert Amelie.

'Gaat het goed met je?' vraagt hij.

Amelie knikt. Ze kan niet praten.

'Echt waar? Gaat het echt goed met je?'

Amelie knikt nog een keer. Ze buigt haar hoofd zodat ze de zoom van haar vaders jas kan bestuderen. De zoom is ook nat; misschien heeft een voorbijrijdende auto water opgespat of heeft de jas de treden van de tram geraakt toen hij uitstapte. Dat gebeurt Amelie ook wel eens. De treden zijn altijd vies en de zoom van de jas sleept erover.

'Kijk me eens aan, meisje', zegt haar vader.

Amelie heft langzaam haar gezicht, millimeter voor millimeter. Ze ziet de ceintuur van de donkerblauwe regenjas, eigenlijk een afschuwelijke jas. Zo ouderwets, typisch zo'n regenjas die leraren in de herfst dragen. Vreselijk. Dat heeft mama ook gezegd. 'Waarom trek je altijd die lelijke, oude jas aan?'

'Omdat hij nog goed is en omdat ik hem toch niet zomaar kan weggooien', heeft haar vader toen gezegd.

Hij gooit niet graag iets weg, alleen maar omdat het uit de mode is geraakt. Hij is ook dol op zijn oude, grijze, ribfluwelen broek, hoewel die al helemaal versleten is bij de knieën. Op zondag, als hij niet weg hoeft, loopt hij altijd in die afgesleten broek rond en haar moeder moppert dan en zegt: 'Dat ding hoort in de vuilnisbak.'

Haar vader heeft zich niet geschoren, ziet Amelie tot haar verrassing. Hij is anders altijd geschoren! Het is pijnlijk haar vader zo onverzorgd te zien.

Amelie is op blote voeten. Haar teennagels zijn zwart gelakt. De fijne haartjes op haar benen heeft ze met ontharings-crème verwijderd. In het T-shirt dat ze onder de badjas draagt, heeft ze al zes nachten geslapen. Ze moet eigenlijk een schoon nemen, maar het is zo gezellig om in je eigen geur te kruipen als je 's avonds verdrietig en eenzaam bent en je je in je koude bed moet opkrullen om warm te worden.

Ze voelt de blik van haar vader. Ze kijkt in zijn ogen.

En haar ogen - wat leest hij daarin?

Koppigheid? Angst? Wanhoop? Trots?

Amelie ziet dat haar vader ziek is. Of verdrietig. Of wanhopig. Ze heeft hem nooit eerder zo gezien.

Ongeschoren, met een rode neus, rode ogen, de alpinopet schuin op zijn hoofd. Hij heeft door de regen gelopen – de regen was zeker koud, vandaar het rode puntje aan zijn neus en het witte voorhoofd. Van de koude, natte wind, die tegen zijn voorhoofd blies.

'Mag ik binnenkomen?'

Amelie doet een stap opzij. Haar vader komt binnen. Zijn schoenzolen laten kleine, vochtige afdrukken achter op de vloer. Hij kijkt om zich heen.

Amelie merkt hoe hij diep inademt, terwijl hij langzaam een keer om zijn as draait.

Wat hij hier ziet, maakt hem nerveus. Amelie weet het. Ze kent haar vader. Ze weet dat hij niet tegen wanorde kan. Amelies kamer is een chaos. Haar spullen op de vloer. De tijdschriften, de colafles, daartussen broekjes, sokken, schoon en vies door elkaar. Amelie wordt rood als ze het ziet. Het is echt verschrikkelijk. Ze had kunnen opruimen. Waarom ruimt ze niet op?

Ze had gisteravond tijd genoeg gehad. Ze had in de wasbak haar broekjes kunnen wassen. Ze had de papieren bordjes in de papiermand kunnen doen en de melkresten uit de wasbak kunnen halen. Ze had een raam kunnen openzetten. Misschien ruikt het ook wel vies in haar kamer. Ze weet het niet. Ze is niet eens op het idee gekomen om een raam open te zetten. De pensionhoudster stookt de verwarming niet hoog; de radiator is altijd maar lauw. Als je dan ook nog het raam openzet, is het zo koud dat je het in de kamer alleen volhoudt met drie truien over elkaar.

'Dus hier woon je...', zegt haar vader met gedempte stem.

Hij heeft drie keer zijn keel geschraapt voordat hij iets kon zeggen. 'In dit...'

'Varkenskot', vult Amelie aan. 'Zeg het maar gerust.'

'Kamertje.' Haar vader draait zich naar haar om. 'Ik wilde zeggen: in dit kamertje.'

'Het is mijn kamer. Ik vind het prima.' Amelie gaat op de rand van het bed zitten.

Haar vader heeft een tas van zwart nylon over zijn schouder. De tas staat bol. Amelie vraagt zich af wat erin zit. Haar vader bekijkt de wasbak, het spiegeltje, de spullen op het plankje. 'En een douche?' vraagt hij.

'De badkamer is op de gang', zegt Amelie.

'Je hebt geen eigen douche?'

'Thuis heb ik toch ook geen eigen douche? Of een eigen badkamer? Een eigen toilet? Was mijn kamer thuis groter dan deze? Wat is hier zo anders?'

'Dit hier is geen thuis.' Hij veegt met de vlakke hand een paar koekkruimels van het beddenlaken. 'Dit hier is niet meer dan een dak boven je hoofd. Hier ben je gewoon gehuisvest, als je dat woord kent. Een woord uit de literatuur.'

Hemel, denkt Amelie, *nu begint hij alweer.*

'Papa,' zegt Amelie, 'ik heb niet zo heel veel tijd.'

'Wat moet je dan doen?' vraagt haar vader. 'Wat is er zo dringend?'

Amelie doet haar klerenkast open en gooit de deur meteen weer dicht. Ze is vergeten dat ze haar broeken en jasjes niet heeft opgehangen, maar zomaar onderin de kast heeft gesmeten.

'Ik heb een afspraak in de stad voor een fotoshoot.'

'Aha!' Haar vader monstert haar. 'Een afspraak in de stad voor een fotoshoot! Zal ik met je meegaan?'

'Papa,' zucht Amelie, 'je gaat niet met je vader naar een fotoshoot.'

'En waarom niet?'

'Omdat je dat gewoon niet doet.'

'Mag ik vragen waar die afspraak is?'

De gedachten buitelen door elkaar in Amelies hoofd. In werkelijkheid heeft ze vanochtend helemaal geen afspraak. In werkelijkheid heeft ze helemaal niets te doen. Inez heeft sinds eergisteren niets meer van zich laten horen. Anders geeft ze altijd de afspraken door, maar sinds twee dagen is er niets meer geweest. Zelfs geen telefoontje. Een aantal malen heeft Amelie de voicemail van Inez ingesproken en gevraagd of zij haar terug wilde bellen. Maar Inez belt niet terug. Misschien is ze in Parijs, misschien in Milaan, New York. Inez doet altijd alsof de hele wereld om haar draait. Ze heeft beloofd haar naar New York te brengen, net zoals het Tsjechische model dat ook pas vijftien is en dat de stap van een stadje aan de Poolse grens naar New York, naar IMG, al gemaakt heeft. En binnenkort staat die geluksvogel op de cover van *Elle*, van *Vogue*, van *Harper's Bazaar*.

'Daar hoor jij ook, schatje', heeft Inez gezegd en ze heeft toen een kus op haar voorhoofd gedrukt.

Dat was het laatste wat Amelie van Inez heeft gehoord.

'Praat je niet meer met me?' vraagt haar vader.

Amelie slikt. Ze knikt, haalt haar hand door haar haren. 'Het is niets bijzonders', zegt ze haastig. 'Gewoon een afspraak bij een reclamebureau in de Lakensestraat.'

'Prima. We kijken het na op de plattegrond. We nemen een taxi.'

'Ben je niet met de auto dan?'

Haar vader kijkt haar aan. Lang. Dan schudt hij zijn hoofd.

'Nee', zegt hij. 'Ik ben met de trein. Gisteravond al. Ik heb...'
Hij stokt.
Amelie kijkt naar zijn ongeschoren kin. Daarom dus, hij is
gisteravond al gekomen. Waarom zou dat zijn? Wat is er
gebeurd?
Ze loopt naar het bed en gaat naast haar vader zitten.
Haar vader glimlacht, maar het is een verloren, verdrietig
glimlachje. 'Hier zijn wat spullen voor je', zegt hij. 'Dikke
truien. Mama zegt dat je dikke truien nodig hebt, zodat je
geen kou vat. Mama is bang dat we je kwijtraken. Ze wil je
niet dwingen. Maar ze zit thuis en ze wacht. Je weet niet wat
je haar aandoet. Ik ben boos op je. Heel boos.'
Hij duwt de tas met zijn voet naar haar toe.
Amelie bukt zich en trekt de ritssluiting open. Bovenop de
groene trui ligt een reep chocolade. Met amandelen. Haar
lievelingschocolade. Daarnaast ligt het wollen schaap, dat
thuis in de keuken op de vensterbank staat. Eigenlijk is het
wollen schaap een eierwarmer. Amelie heeft een schaap,
Mirjam een koe, haar moeder een beer.
Amelie krijgt tranen in haar ogen als ze het wollen schaap
pakt. Ze weet dat haar vader naar haar kijkt. Ze wil niet
huilen. Ze zal ook niet huilen.
Toch kan ze de verleiding niet weerstaan om het schaap heel
even tegen haar gezicht te drukken en de vertrouwde geur
diep in te ademen. Ze ruikt de kruiden op de vensterbank
in de keuken, ze ziet de zonnestralen op de blauwe knikker
die in de schaal op de vensterbank ligt, ze ziet haar rooster
aan de keukendeur, het witte ontbijtservies, het bestek met
de blauwe heften, de placemats van bamboe, lichtgeel. 'Dat
ziet er zo zonnig uit', vond haar moeder. Mirjam en Amelie
hebben de placemats voor Kerstmis gekocht. Hun moeder

was er heel blij mee geweest. 'Prachtig', zei ze. 'Die wilde ik ook kopen, maar ik kon ze niet vinden.' Mirjam had ze ontdekt in een winkel in Antwerpen en sindsdien worden ze elke morgen bij het ontbijt gebruikt. Dan is er koffie met opgeschuimde melk, muesli, sinaasappelsap.

Amelies maag krimpt samen. Ze kijkt haar vader aan. 'Heb je al ontbeten?'

Hij schudt zijn hoofd en neemt zijn alpinopet af. Onder de pet wordt zijn haar langzaam dunner. Hij ziet er slecht uit. Hij gaat met zijn hand over de kale plek. 'Mijn haar valt snel uit', zegt hij. 'Met bosjes tegelijk. Dat zal de stress wel zijn.'

'Heb je last van stress?' vraagt Amelie. Ze haalt de truien uit de tas. Fijn ze te zien. Toen ze haar koffer pakte, heeft ze niet aan winterkleding gedacht. Toen was het nog warm. Nu is het koud en nat en ongezellig in de stad. De cafés hebben hun terrassen opgeruimd. Mensen zitten nu binnen, achter natte ruiten, kijken verlangend naar buiten en denken aan de eerste voorjaarsdag, wanneer de terrassen weer ingericht worden.

De winter is een somber jaargetijde. Als je niet van skiën houdt.

'Wanneer gaan jullie skiën?' vraagt Amelie. De vraag komt heel plotseling op. Haar vader glimlacht.

'Wil je mee?' vraagt hij.

Amelie schudt haar hoofd. 'Ik vroeg het alleen maar.' De glimlach verdwijnt. Haar vader gaat met zijn hand over zijn ogen. 'Ik weet het niet. We hebben het er nog niet over gehad', zegt hij.

Amelie pakt tersluiks haar kleren, drukt ze tegen haar borst. 'Ik kleed me snel aan', zegt ze. 'Dan kunnen we gaan ontbijten, goed?'

Haar vader haalt zijn handen van zijn ogen. Ze lijken nog roder dan eerst, alsof alles hem grote inspanning kost, ook het kijken.

'Ja', zegt hij. 'Dat doen we. Kleed je aan.'

Amelie gaat door de gang naar de badkamer. Die is wit betegeld en lijkt wel op de badkamer in het ziekenhuis waar ze aan haar blindedarm is geopereerd. Als je het licht aan doet, gaat de ventilator automatisch aan. Hij maakt een lawaai als een kapotte uitlaat. Je hoort dan niets anders meer dan geratel en geruis en gezoem.

Amelie staat onder de warme douche en vraagt zich af hoe het kan dat ze heeft afgesproken om met haar vader te gaan ontbijten. Dat wil ze helemaal niet. Ze wil eigenlijk niet met haar vader praten. Ze wil hem helemaal niet zien. En nu zit hij in haar kamer, tussen haar spullen...

Amelies hart blijft even staan. Wat als hij de foto's vindt? De foto's waarop ze alleen maar een bh draagt en een heel klein broekje! De foto's waarbij ze rood was geworden toen Nick ze maakte... *Verdraaid nog aan toe, waar zijn de foto's... als hij ze ziet... wat zal hij van me denken...*

'Shit', fluistert Amelie. Ze draait de kraan dicht, grijpt de handdoek die veel te klein is om zich lekker te kunnen afdrogen, wrijft zich haastig droog en kleedt zich aan. Spijkerbroek, shirt, trui, sokken. Ze neemt haar toilettas en de natte handdoek en holt terug naar haar kamer.

Haar vader zit nog altijd op de rand van het bed, zijn hoofd gesteund in zijn handen. Een snelle blik door de kamer doet Amelie opgelucht ademhalen. Hij is niet van zijn plaats geweest. Alles is nog precies zoals het was toen ze wegging. De half uitgepakte tas, het wollen schaap, de chocolade, de tijdschriften op de vloer, papieren bordjes, asbak, de peuken.

Weet haar vader dat ze nu rookt? Heeft hij het al gemerkt? Amelie loopt op haar tenen naar de asbak, tilt die op, laat de peuken in de papiermand vallen, zet de asbak in de wasbak en laat er water in lopen.

Haar vader kijkt op. 'Sinds wanneer rook je?' vraagt hij. 'Sinds wanneer scheer jij je niet?' is haar wedervraag.

Hij glimlacht en gaat met zijn hand over zijn kin. 'Dat heb je nog nooit gezien, dat je vader niet geschoren was, wel?'

Amelie knikt. Ze wacht.

'Mama en ik hebben ruzie gehad. Gisteren. Ik wilde hierheen om je op te halen, maar zij vindt dat je uit jezelf moet komen. Ze vindt dat we moeten wachten en geduld moeten hebben. Maar ik kon niet meer wachten.'

Amelie voelt hoe haar hart krampachtig samentrekt. Waarom moet ze dingen horen die ze niet wil horen? Die haar pijn doen? Waarom laten ze haar niet gewoon met rust?

'Dat is vervelend', zegt ze. 'Ik wil niet dat jullie ruziemaken.'

Haar vader legt zijn trillende vingers op haar gezicht. Zijn handen zijn koud en ruiken naar tabak. Amelie voelt de misselijkheid opkomen.

'Je hebt beloofd om thuis te komen als je geen aanbod zou krijgen', zegt haar vader. 'Je hebt je weer niet aan onze afspraak gehouden, daar zijn we teleurgesteld over. Nog afgezien van het feit dat je zonder eindexamen je leven verkwanselt. Uitgerekend ik, de leraar, heeft een dochter die het absoluut niet belangrijk vindt om eindexamen te doen! Zijn al onze zorgen dan voor niets geweest? Weet je eigenlijk wel of die Inez serieuze bedoelingen heeft? Tot nu toe heeft ze je geen contract bezorgd, of wel soms? Ze doet alleen loze beloften en dan verkwanselt ze je voor wat naaktfoto's.'

Nu wordt Amelie echt misselijk. Heeft hij Nicks foto's toch

gevonden?' 'Je weet helemaal niet hoe meedogenloos die branche is', gaat hij verder.

Amelie staat zwijgend op. Haar vader praat verder. Ze trekt haar jack aan, knoopt het omstandig dicht, doet een sjaal om haar hoofd. 'Ik dacht dat we zouden gaan ontbijten. Van zulke gesprekken krijg ik alleen maar hoofdpijn.'

Haar vader knikt berustend. 'Je wilt de waarheid niet horen.'

Opeens heeft Amelie het gevoel dat hij een oude man is. Hij draait zijn verfomfaaide pet in zijn handen, loopt met slepende tred naar de wasbak en bekijkt zichzelf in de spiegel. Hij lacht bitter. 'Kijk eens naar je oude vader.'

Ergens gaat een telefoon. Ze horen hoe de pensionhoudster in het apparaat schreeuwt.

Amelie en haar vader kijken elkaar aan. Amelies hart krimpt samen.

'Ja, en wat kan ik eraan doen dat haar gsm het niet doet? Ja, ik zal haar roepen. Ja, ja', roept de pensionhoudster in de telefoon. 'Ben ik soms haar kindermeisje?'

Voor mij, denkt Amelie. *Inez. Inez heeft een opdracht voor me.* Ze recht haar rug en haalt diep adem.

Haar vader loopt voor haar uit naar de trap.

Van beneden klinkt de stem van de pensionhoudster:

'Amelie! Telefoon! Waarom doet je gsm het niet? Als ik ook nog de telefoon voor mijn gasten moet aannemen, mag ik de huurprijs wel verdubbelen!'

Haar vader blijft staan. Amelie loopt langs hem heen. Zo snel is ze de trap nog niet eerder afgegaan.

'Ja!' roept ze. 'Hier ben ik. Wie is het?'

'Ene Gitte', zegt de vrouw. 'Het schijnt nogal dringend te zijn.'

Gitte! De goede ziel uit Nicks studio!

Amelie vliegt de trap af en holt naar de zwarte telefoon. Hijgend roept ze:'Ja? Gitte? Ik ben het, Amelie! Wat is er aan de hand?'

Gitte lacht. Gitte is altijd goedgehumeurd. Op de achtergrond hoort Amelie snoeiharde muziek. In de studio is altijd muziek, de hele dag.

Ze hoort stemmen, lachen, dan Gitte weer. 'Hallo, schatje? Lieve hemel, wat een toer om jou aan de telefoon te krijgen. Waarom heb je een gsm als je de accu niet oplaadt?'

'Ben ik vergeten. Ik weet het ook niet', stottert Amelie. 'Ik dacht dat ik hem aan had en toen...'

Ze stokt. Haar vader heeft zijn hand op haar schouder gelegd. Langzaam draait ze zich om. Ze heeft de hoorn in haar hand.

'Het is Gitte', fluistert Amelie. 'Van de studio.'

Haar vader blijft zwijgen, kijkt haar alleen maar aan.

Amelie kijkt de andere kant op. 'Gitte?' roept ze. 'Waarom zoek je me?'

'Omdat Nick werk voor je heeft, domme trien!' roept Gitte. 'Waarom dacht je anders? Hij heeft die opdracht van Hennes & Mauritz gekregen!'

'Wauw!' roept Amelie. 'Echt? Te gek!'

Haar vader schraapt zijn keel. De pensionhoudster ritselt met papieren. Amelie gooit haar hoofd achterover. Haar ogen kijken naar de vochtige plekken op het plafond van de ontvangstruimte.

'Dus hij heeft de opdracht gekregen!'

'En hij wil jou voor de blauwe serie!' roept Gitte. 'Om je ogen. Nick zegt dat jouw ogen precies bij de achtergrond passen die hij voor de blauwe serie gekozen heeft. Je weet wel, die Noorse spullen die je zo chic vond.'

Amelie haalt diep adem. 'Hij wil mij? Voor de foto's? De

blauwe serie?' Ze fluistert nu. Ze kan geen normaal geluid meer uitbrengen.

Over de blauwe serie heeft Nick dagenlang gepraat. Hij heeft tekeningen gemaakt, papier ingekleurd, settings voorbereid. Nick heeft ontzettend veel nagedacht over de catalogus voor Hennes & Mauritz en een heel boekwerk met ideeën afgeleverd, waarin hij elke afzonderlijke foto geschetst heeft. Maar ze hebben toch voor een andere fotograaf gekozen, eentje uit Frankrijk.

'En die Franse fotograaf dan?' roept Amelie in de hoorn.

'Die is betrapt met cocaïne. Hij is volledig out', zegt Gitte. 'Hij zou modellen hebben gedrogeerd op party's en zo. Het moet heel erg geweest zijn. Maar zo is Nick niet.'

'Nee', zegt Amelie. 'Zo is Nick niet.'

'Hoor eens', roept Gitte. 'Hoe laat kun je hier zijn?'

Amelie kijkt op de klok. Haar vader staat achter haar, maar daar wil ze nu niet aan denken.

'Over een halfuur', roept ze. 'Ik zal voortmaken.'

Opeens is Gitte weg en Amelie wil al neerleggen, maar dan heeft ze Nick aan de lijn.

'Luister chérie!' roept hij. 'Nu geen geintjes, hè? Niet met Inez bellen of met iemand anders, dat ik de opdracht heb. Het blijft nog onder ons, goed? Ik wil de concurrentie niet al meteen gek maken.'

'Tuurlijk', zegt Amelie. 'Nick, ik...'

'"t Is al goed. Bewaar dat maar voor later. Neem een taxi en vraag om een bonnetje. Ik geef je het geld dan meteen terug.'

'Oké', zegt Amelie. 'Tot zo!'

Ze legt de hoorn op het toestel.

De pensionhoudster kijkt haar wantrouwend aan.

'Hoe zit het met het geld?'

Amelie glimlacht. 'Dat krijgt u heus wel.'

'Wanneer dan? En van wie?'

'Ik zal ervoor zorgen', zegt Amelie. 'Ik beloof het, echt. Geen probleem.' Ze valt haar vader, die er zwijgend en doodstil bij staat, om zijn nek. 'Papa, ik heb een opdracht. Ik ben geboekt voor een fotoshoot. Ik ben geboekt, papa! Het is gelukt!' Haar vader maakt haar handen los van zijn nek. Hij houdt haar een stukje bij zich vandaan. Hij kijkt haar aan. Onder zijn blikken, ernstig, verdrietig, aandachtig, voelt Amelie hoe het kleine beetje geluk dat ze net nog voelde, wegsmelt. Zoals een hoopje vieze sneeuw in de zon.

'Ik stel voor', zegt hij, 'dat we eerst samen gaan ontbijten en dat je daarna met mij meegaat naar huis. Dan is de nachtmerrie voorbij. Dan kan mama weer rustig slapen.'

'Naar huis? Ik? Nu? Vandaag?' stamelt Amelie. 'Maar papa, daar hebben we het nooit over gehad. Ik moet nu meteen naar de studio. Papa, je begrijpt niet...'

Haar vader houdt haar bij haar arm tegen. 'Amelie, alsjeblieft, ga mee naar huis!'

Amelie maakt zich los. 'Papa, ik ga nu.'

'Je gaat met mij mee.' Zijn toon is scherp.

'Nee', fluistert Amelie. Ze slaat haar oogleden niet neer. 'Het is zinloos, papa, echt, je maakt alles weer kapot. Ik bel jullie, goed? Beloofd!'

'Wanneer?' vraagt haar vader. Hij laat haar los. Amelie vlucht naar de deur. Haar vader komt achter haar aan.

Amelie staat al buiten.

'Wanneer?' briest hij. 'Wanneer bel je?'

Er rijdt een taxi voorbij. Amelie holt naar de stoeprand, zwaait.

'Amelie!'

Amelie rukt het portier open, zwaait naar haar vader en roept: 'Morgen!' Dan laat ze zich op de achterbank zakken en trekt het portier dicht.

De taxichauffeur draait zich naar haar om. Hij bekijkt haar aandachtig. 'Heeft die man je lastiggevallen?' vraagt hij. Amelie begrijpt de vraag eerst niet. De taxichauffeur kijkt in de achteruitkijkspiegel. Haar vader staat aan de rand van de stoep en weert met een ongeduldig gebaar mevrouw Engel af, die hem waarschijnlijk weer met de onbetaalde rekening om de oren slaat.

'Nee', zegt Amelie. 'Hij heeft me niet lastiggevallen.'

'Het leek anders wel zo', zegt de chauffeur. 'Ik dacht dat ik je van die vent moest bevrijden. Niets voor een mooi, jong ding als jij. Waar gaan we naartoe?'

Amelie noemt het adres van de studio.

'Oh', zegt de taxichauffeur. 'De fotostudio.' Hij kijkt haar nieuwsgierig aan in de achteruitkijkspiegel. 'Ben je model?'

Amelie aarzelt heel even. Dan knikt ze.

De taxichauffeur lacht. 'Dat dacht ik meteen al', zegt hij en hij geeft gas.

Amelie is blij dat hij niet nog eens in de achteruitkijkspiegel kijkt. Ze voelt dat ze vuurrood is.

Bij de lift staat Gitte. Gitte draagt vandaag een pikzwarte outfit. Zelfs de klemmetjes in haar haren zijn zwart, de map die ze onder haar arm houdt, de ballpoint. Allemaal ton sur ton. Alleen haar lippen zijn rood en haar tanden blikkeren wit wanneer ze Amelie lachend omhelst.

'Man, wat fijn je weer te zien. We hadden al gedacht dat je aan onze neus voorbijgegaan was.' Ze kust Amelie eerst op haar rechterwang, dan op de linker en tot slot op haar voorhoofd.

Daarvoor duwt ze Amelies hoofd zo ver naar beneden tot haar lippen haar voorhoofd raken. Gitte is een hele kop kleiner dan Amelie. Ze zou nooit model kunnen worden: daarvoor moet je ten minste een meter vijfenzeventig lang zijn. De echt te gekke modellen, dat weet Amelie ondertussen, zijn een meter tachtig lang. En ze hebben benen die gewoon niet meer stoppen. Zoals die van Amelie. 'We hebben alles klaarstaan. Bertrand wacht op je bij de visagie. Hij heeft al een hele muur volgeplakt met foto's van jou en precies bedacht hoe hij je wil opmaken. De styliste heet Sylvie.' Gitte praat maar en praat maar, terwijl ze naast Amelie mee loopt.

In de lucht zoemt en bromt van alles. De stalen deur die naar de studio gaat, staat halfopen. Daarachter is een zoekend licht en een bewegende schaduw te zien.

Het ruikt er naar versgezette espresso en rijpe appels. Naast de deur die naar de pantry gaat, staat een grote rieten mand met fruit.

'Nick wil een herfststemming creëren', zegt Gitte. 'Hij heeft een kruiwagen besteld, een hooivork, een pak hooi en een baal stro.' Ze grinnikte. 'We zijn allemaal heel benieuwd. Sylvie vroeg bij wijze van grapje of hij een catalogus voor de Boerenbond ging maken. Toen werd Nick toch kwaad!'

Ze duwt Amelie de visagie in. Bij de tafel staat een knul in spijkerbroek, T-shirt en leren vest. Hij heeft zijn grijze haren tot een paardenstaart gebonden. In zijn vestzak zitten penselen, klemmen, schaar, haarclips.

'Hier is ze!' roept Gitte terwijl ze Amelie naar binnen duwt. 'Ziet ze er niet geweldig uit?'

Amelie wordt rood. Ze weet dat ze er niet geweldig uitziet.
De nacht was verschrikkelijk, het ontwaken nog erger. En ze
heeft ook geen tijd gehad om zich klaar te maken. Zelfs om
na te denken was er geen tijd. Ze weet dat haar trui niet bij
haar broek past en haar schoenen niet bij haar sokken.
Ook Bertrand ziet dat. Hij laat zijn blik langzaam, bijna ver-
achtelijk over Amelies lichaam gaan. 'A...ha', zegt hij alleen
maar en hij wendt zich weer af om in een potje met een of
andere crème te roeren.
Amelie kijkt Gitte smekend aan. 'Blijf je?'
'Dat kan niet, schatje', fluistert Gitte. 'Het is hier net een
gekkenhuis. Je kunt het vast prima met Bertrand vinden.'
Amelie schudt haar hoofd. Ze is opeens doodsbenauwd voor
Bertrand.
'Kan ik niet beter eerst met Nick praten?' vraagt ze angstig.
Gitte slaat haar handen in elkaar. 'Nu? Met Nick? Ben je
gek geworden? Die draait zo al door. Wat denk je dat hij op
dit moment allemaal moet regelen? Maar wat het contract
betreft, dat is klaar. Het ligt bij Anne.'
Anne is de secretaresse van de studio. Zij coördineert de
diverse fotoshoots, het boeken van de modellen, ze zorgt
voor de rekwisieten die de fotografen nodig hebben bij de
foto's en ze let erop dat de schoonmaakploeg bijtijds komt en
alles weer opruimt voordat er een nieuwe shoot begint. Dat is
soms 's morgens om vijf uur, maar Anne zit daar niet mee.
'Wat voor contract?' vraagt Amelie.
Bertrand draait zich om. 'Ja,' zegt hij, 'wat zou dat voor
een contract zijn? Voor de shoot natuurlijk. Je verplicht je
daarin om alle rechten voor de foto's aan de fotograaf over te
dragen. En er staat in hoeveel geld je krijgt.'
Amelie knikt. Ze is een beetje bedrukt. Bertrand wijst op de

zwarte kunstleren stoel voor de spiegel. 'Ga eindelijk eens zitten, ja? En dan kun je het beste een poosje niets zeggen. Ik moet je gezicht bestuderen.'

'Goed.' Amelie gaat zitten. Bertrand zet het licht zo, dat haar gezicht vol belicht is. In de spiegel ziet Amelie een vaal gezicht met rode vlekken en kleine puntjes, die eruitzien alsof het pukkeltjes gaan worden. Bertrand gaat met zijn duim over een van de puntjes. 'Acne', zegt hij op een toon alsof hij zegt: 'Shit.'

'Dat heb ik anders nooit.' Amelie is verlegen. 'Ik weet ook niet hoe het komt.'

'Ik weet het wel', zegt Bertrand. 'Verkeerde voeding, slecht slapen, te veel drugs, te weinig vers fruit.'

'Dat kan niet!' roept Amelie verontwaardigd. 'Ik gebruik helemaal geen drugs.'

Bertrand glimlacht. Hij trek een paar blonde haren uit een borstel. 'Dat komt nog wel, liefje. Een, twee jaar in deze business en je zit zo vol met chemie, dat je nauwelijks nog uit je ogen kunt kijken.'

Amelie wil omkijken of Gitte er nog is. Maar Bertrand houdt haar gezicht vast. Hij staat achter haar, zijn handen liggen om haar hals.

Bertrands gezicht is geconcentreerd. Zijn grijze haren zijn strak naar achteren gekamd, zijn voorhoofd is hoog en wit. Hij ziet eruit als iemand die helemaal niet meer weet wat frisse lucht is. *En die wil mij vertellen wat goed voor me is,* denkt Amelie. Ze voelt dat ze Bertrand niet mag en vermoedt dat dat wederzijds is.

'Ik heb vannacht slecht geslapen', zegt Amelie verontschuldigend. 'Misschien komt het daardoor.'

'Zo'n slechte teint?' Bertrand snuift. 'Dat komt niet van één nacht. Dat is het resultaat van heel wat slechte nachten. Zo, dan zullen we eerst eens een basis leggen. Welke crème heb je vanmorgen gebruikt?'

'Nivea', zegt Amelie verlegen.

Bertrand glimlacht. Een beetje laatdunkend. 'A...ha', zegt hij alweer. Dan zoekt hij tussen tubes en potjes, steekt zijn vingers in een melkachtig witte crème en masseert Amelies huid daarmee in. Amelie sluit haar ogen. Bertrands vingers zijn koel en aangenaam; je voelt dat hij zijn vak verstaat. Daarna neemt hij een make-up die iets lichter is dan Amelies huid. Met een stift gaat hij over de kleine pukkeltjes en vlekken op haar gezicht. Amelie schaamt zich dat ze er uitgerekend vandaag zo pukkelig uitziet. Anders heeft ze een huid als melk en honing. Dat zei haar moeder vroeger altijd: 'Amelie heeft een huid als melk en honing.' Maar nu is daar niets meer van terug te vinden. *Misschien heeft Bertrand gelijk,* denkt Amelie, *misschien heeft het toch iets te maken met mijn nieuwe manier van leven.*

'Als ik je een goede raad mag geven,' zegt Bertrand, 'bekijk je contract dan voordat de shoot begint. Sommige fotografen hebben de gewoonte een meisje pas daarna te laten tekenen.'

'Ik weet helemaal niet wat er in het contract staat', mompelt Amelie.

'Wat? Hebben jullie het daar niet over gehad?'

Amelie schudt haar hoofd. Bertrand borstelt haar wenkbrauwen, neemt een pincet, trekt wat haartjes uit die niet recht staan. 'En voorheen dan?'

'Dit is mijn eerste opdracht', zegt Amelie. 'Eerder hebben we alleen proefshoots gedaan en mijn setcard.'

Betrand legt het wenkbrauwenpotlood neer. Hij draait de stoel met Amelie naar zich om. 'Dat meen je niet', mompelt hij binnensmonds. Zijn blik blijft nieuwsgierig op Amelie rusten.

'Wat?'

'Je eerste shoot? Weet je eigenlijk wel hoeveel je per dag verdient?'

Amelie schudt haar hoofd.

Bertrand draait met zijn ogen. Hij lacht. 'Het zal toch niet waar zijn? God, chérie, hoe heet je eigenlijk?'

'Amelie.'

'Oké, Amelie, weet je wat we nu doen? Je staat op, je gaat naar Anne en zegt dat je het contract wilt zien. En dan kom je met dat ding weer hier.'

Amelie aarzelt. Ze mag Bertrand niet zo, maar ze heeft het gevoel dat hij haar nu een goede raad geeft. Ergens is het wel gek dat Nick haar tot nu toe niet eens begroet heeft, dat niemand haar heeft verteld hoeveel geld ze voor deze shoots eigenlijk krijgt.

'In deze job', zegt Bertrand, 'worden mensen die naïef zijn en er alleen maar van dromen beroemd te worden, genadeloos afgejakkerd. Heeft nog niemand je dat dan verteld? Je moet van meet af aan de lat hoog leggen. Je moet je niet laten uitbuiten. Als je je hebt laten fotograferen, laten ze je vallen als een baksteen. Dus,' hij trekt Amelie uit de stoel, 'dit is het moment. Dit moet je gebruiken, meisje. Haal het contract en laat papa Bertrand er eens naar kijken.'

Aarzelend loopt Amelie naar de deur. Ze had haar schoenen uitgedaan en loopt nu dus op sokken over de gang.

De deur naar de studio is dicht. Ze hoort Nick echter schreeuwen. Als Nick nerveus is, gaat automatisch het volume in zijn omgeving omhoog.

Amelie loopt naar de deur waar 'secretariaat' op staat. Ze klopt.

'Ja?' roept Anne.

Amelie stapt naar binnen. Ze is nooit eerder in het secretariaat geweest. Ze heeft Anne echter ontmoet op de eerste dag toen Nick met haar foto's voor de setcard heeft gemaakt. Toen kwam Anne binnen en heeft Nick haar aan Amelie voorgesteld. 'De nieuwe ster aan de modehemel', zei hij toen en hij legde zijn arm om Amelie heen. En Amelie glimlachte, alsof ze al een ster was, en gaf Anne een hand zoals iemand die al beroemd is. Ze wordt nog rood als ze eraan denkt.

'Hallo', zegt Amelie.

'Oh, hallo.' Anne werpt haar een blik toe en kijkt dan meteen weer naar haar computer.

'Ik... eh... wel...', stamelt Amelie. Ze staat bij de deur.

Anne staart naar het beeldscherm.

'Mijn contract', zegt Amelie. 'Het zou hier liggen.'

Anne knikt. Ze wijst met haar hoofd naar een papier in een doorzichtige map die op de balie ligt.

'Daar', zegt ze.

'Kan ik... mag ik... het misschien meenemen?'

'Ondertekenen', zegt Anne. 'Je moet het ondertekenen en dan gaat het weer terug naar H&M.'

'Oké.' Met enige eerbied pakt Amelie de map. Ze ziet het woord 'contract' op de eerste bladzijde. Haar hart bonst. Haar eerste echte contract.

'Ik neem het even mee naar de visagie', zegt ze. 'Bertrand wacht.'

'En wanneer krijg ik het dan terug?' vraagt Anne. Haar stem klinkt onverschillig, ze koestert geen enkel wantrouwen.

Ze heeft geen idee, denkt Amelie, *geen idee dat ik dit contract eerst wil bestuderen. Misschien denkt ze dat ik de inhoud wel ken. Maar ik weet niets, niets...*

Ze loopt met het contract in haar hand terug naar de visagie. Bertrand heeft ondertussen de krulspelden warm gemaakt. 'En?' vraagt hij. 'Alles oké?'

'Ik weet het niet. Ik heb nog niet gekeken.'

Amelie gaat weer zitten en geeft Bertrand het contract.

'Wat moet ik daarmee?' vraagt hij, in elke hand een krulspeld.

'Kijken,' zegt Amelie, 'of het in orde is.' En verlegen voegt ze eraan toe: 'alsjeblieft.'

'Goed, ik kijk er wel even naar.' Bertrand legt de krulspelden neer en buigt zich over de tekst. Amelie kijkt met bonzend hart toe. Bertrand doet steeds alleen 'hmmm' en dan weer 'aha..' en dan weer 'mmmm'.

'Is het goed?' vraagt Amelie angstig.

Bertrand legt het contract op een plekje dat hij op de schminktafel heeft vrijgemaakt.

'Als jij ermee akkoord gaat om vierhonderd euro per dag te vangen, dan is het goed.'

'Vier... honderd... euro?' Amelie kan haar oren niet geloven.

'Per dag', zegt Betrand. 'En de shoot duurt drie dagen. Tel maar op.'

Twaalfhonderd euro! Te gek! Ze verdient in drie dagen net zo veel geld als haar moeder in één maand! Amelie wordt duizelig.

'Het is niet veel,' zegt Bertrand, 'maar om te beginnen is het natuurlijk wel leuk. Je hebt uiteraard geen inspraak in de keuze van de foto's, maar dat is wel logisch. Dat hebben alleen mensen als Naomi of Heidi.'

'Ken je Heidi Klum?'

Bertrand lacht. 'Of ik haar ken? Lieve hemel, ik heb haar puistjes weggewerkt toen ze nog helemaal aan het begin van haar carrière stond. Of ik Heidi ken? Hemel, ik weet alles van haar. Echt alles.'

Amelie glimlacht. Ze mag Bertrand steeds meer.

'Hoe oud ben je eigenlijk, meisje?' Bertrand draait de krulspelden in Amelies haar. 'Net vijftien? Tja, dan is het contract in principe voor de prullenmand. Je handtekening is immers nog niet rechtsgeldig. Maar daar vraagt niemand in heel deze business naar.' Nu gaat hij aan de slag met haar decolleté. Dat wordt eerst geschminkt en dan gepoederd en daar komt dan weer een beetje rouge op. Daarna trekt Bertrand de contouren van haar lippen om, waarbij hij het kleurpalet steeds vergelijkt met de enorme lijsten die hij op de muur geprikt heeft. Amelie heeft geen idee wat dat voor lijsten zijn.

Ze moet haar ogen wijd opensperren wanneer Bertrand haar wimpers kleurt en met een heel donkere contourstift haar mond groot en rond maakt. Met een dik penseel brengt Bertrand wat rouge aan op haar wangen, het puntje van haar kin en op haar neuswortel.

'Bij jou,' zegt hij, 'moeten we opletten dat we de wangen niet te veel nadruk geven. Ik begin iets dieper met de rouge, anders lijkt je gezicht zo vierkant als een doos. En je ogen hebben wat kleur nodig om ze op te halen. Altijd. Denk daaraan. Je moet precies onder je wenkbrauw beginnen. Hier.' Hij trekt de rollers weer uit haar haren en bewerkt het kapsel met een dikke borstel. Hij gaat niet bepaald zachtzinnig met Amelie om.

Amelie voelt de harde borstel op haar hoofdhuid. Maar ze
zou nog eerder haar tong afbijten dan dat ze een klacht zou
uiten. Bertrand weet vast wel wat hij doet.

De deur vliegt open. 'Wegwezen!' brult Bertrand.
Amelie ziet in de spiegel een heer in een grijs pak met een
rode stropdas. Hij ziet er heel voornaam en belangrijk uit. Hij
blijft in de deuropening staan.

'Ik wilde alleen maar even "hallo" zeggen', zegt hij. 'Mijn
naam is Wouter Hens. Ik ben pr-chef van H&M.'

'Oh', Bertrand legt de haarborstel neer, veegt zijn handen af aan
zijn spijkerbroek en loopt op Wouter Hens af. Hij steekt zijn
hand uit. 'Ik ben Bertrand.' Hij wijst op Amelie. 'En dat is ze.'
Amelie glimlacht. Ze glimlacht naar de man via de spiegel.
Ze vindt dat ze er ondertussen heel mooi uitziet, in elk geval
anders dan eerst, ouder. En een beetje zondig ook. Maar dat
komt door de donkere rouge die Bertrand heeft gebruikt, en
de heel lichte make-up.

Bertrand weet vast wel wat hij doet. In elk geval vindt Amelie
dat ze er niet meer uitziet als vijftien, maar eerder als
achttien of twintig. Eigenlijk ziet ze er nu veel ouder uit dan
Mirjam.

Amelie staat op, blijft onzeker naast de stoel staan. Wouter
Hens komt op haar af. Amelie voelt zijn taxerende blik. Hij
registreert alles. Haar make-up, het kapsel, de sokken aan
haar voeten, de broek, de trui.

'Aangenaam', glimlacht hij. Hij steekt Amelie zijn hand toe.
'Weet je dat ik voor je gevochten heb? Mijn collega's wilden
allemaal liever een model met donker haar, maar ik heb
gezegd: "Nee, we nemen deze. Die ziet er fris en vers uit.
Een outdoor girl. Dat hebben we nodig voor onze nieuwe
modecampagne."'

Een outdoor girl, denkt Amelie. Dat klinkt goed! En ze had juist gedacht dat ze met de nieuwe make-up er veel meer uitzag als een meisje dat nachtenlang in een discotheek verblijft en daarbij een enorme hoeveelheid ecstasy heeft geslikt, maar als de pr-man van H&M vindt dat ze eruitziet als een outdoor girl – ook goed.

'Ah!' De pr-man wijst op het contract. 'Daar is het. Ik zocht het al. Ik heb het nodig. Kan ik het meenemen?'

'Er staat nog geen handtekening onder', zegt Bertrand. Wouter Hens trekt met een zwierig gebaar zijn ballpoint uit zijn jaszak en geeft die aan Amelie.

'Dat is zo klaar. Heb je alles doorgelezen?'

Amelie knikt.

'Ik meen dat we je voor drie dagen geboekt hebben', zegt Wouter Hens. 'Maar als we niet uitkomen met de tijd – ik hoop vurig dat dat niet het geval zal zijn – zou je ons dan misschien nog een dag van je kostbare tijd willen gunnen?'

Hemel, denkt Amelie, *zoals hij tegen me praat! Zo hoogdravend*. Ze glimlacht, ze knikt. Ze neemt de pen en zet haar wat kinderlijke handtekening onderaan op het papier. In haar klas is het een poosje in geweest om je handtekening te oefenen, zodat je een elegante haal krijgt die niet meer lijkt op een kinderlijke naam, maar iets eigens, iets persoonlijks heeft. Het is Amelie gewoon niet gelukt. Nu vindt ze het pijnlijk dat de A van Amelie er nog altijd zo uitziet als de A, die ze in het eerste leerjaar heeft geleerd.

'De extra dag wordt uiteraard extra vergoed', zegt de pr-man. 'Dat spreekt voor zich.'

Bertrand loopt om Amelie heen en plukt wat aan haar haren, borstelt haar wenkbrauwen nog eens en doet nog een dot rouge op haar oorlellen. Dan laat hij haar met een vriendschappelijk klapje gaan. 'Veel succes', zegt hij. 'Oké, dan neem ik haar meteen mee.' Wouter Hens, het ondertekende contract in zijn hand, duwt Amelie naar de deur. 'Ik kom zo meteen ook!' roept Bertrand. 'Ik zoek nog even een mandje spullen bij elkaar.'

En dan staan ze in de gang. Hier is het frisser, maar veel lawaaieriger. Een leverancier brengt belegde broodjes. Iemand sleept met een krat water. Er wordt een enorm boeket herfstbloemen met gele en rode chrysanten binnengedragen. Een ander brult: 'Waar is de grote vaas?' En dan de stem van Nick: 'Wanneer komt dat verdomde model eindelijk? Hoe lang heeft die ellendeling van een Bertrand nodig voor de make-up?' 'Dat verdomde model is hier.' Wouter Hens doet de deur naar de studio open. Hij duwt Amelie naar binnen. Het licht is zo fel dat Amelie haar ogen dicht moet doen. 'En die ellendeling van een Bertrand zoekt nog een mandje spullen bij elkaar en dan komt hij ook.'

Nick staat achter een statief. Hij legt juist een film in de camera. Zijn assistent houdt zijn hand omhoog om het doosje aan te pakken en in de afvalemmer te laten verdwijnen.

Nick laat de camera los en loopt op Amelie en de pr-man af. 'Joh, shit, dat bedoelde ik niet zo.' Hij kust Amelie. 'Je ziet er klasse uit, darling.' Hij lacht als hij de pr-man op de schouder slaat.

'Beetje hectisch hier. Dan neem ik het niet zo nauw met mijn woordkeuze.'

'Maar goed dat onze voorzitter van het bestuur er niet is', zegt Wouter Hens. 'Die verwacht ook op de set onberispelijk gedrag. Hij weet dat fotografen een bijzonder soort mensen zijn, maar toch.' Hij geeft Nick een knipoog. 'Beetje oppassen!'

'Komt goed.' Nick glimlacht. 'Man, ik ben zo blij met deze opdracht. Ik had echt niet gedacht dat ik hem nog zou krijgen.'

Ze praten over de Franse fotograaf die bij een razzia met drugs betrapt is. Ze hebben het over mensen en locaties waarvan Amelie nog nooit heeft gehoord. Ze slaan elkaar op de schouder, praten de ene keer op vriendschappelijke toon, dan weer kijken ze achterdochtig naar elkaar, terwijl Amelie gefotografeerd wordt. Mensen komen en gaan, brengen spullen, nemen andere spullen mee. De assistent regelt het allemaal. Nick, zijn handen op de riem van zijn spijkerbroek, staat erbij als een cowboy in zijn met de hand genaaide laarzen met hoge hakken en de eeuwige zwarte polo. Nick is in zijn element. Eindelijk heeft hij een opdracht. Eindelijk kan hij geld verdienen en weer eens laten zien dat hij eigenlijk de beste is.

Bertrand brengt Amelie terug naar haar pension. Het stroomt van de regen en de laatste tram is al lang weg. Nick heeft Amelie het geld voor de taxi van die morgen nog niet terugbetaald. Hij heeft het heel druk. Hij moest met Wouter Hens uit eten en met Sylvie de volgende dag bespreken. Morgen wordt de beachlook gefotografeerd, strandmode voor een vakantie in het Caribische gebied. Daar verheugt Amelie zich al op. Bertrand heeft gezegd dat hij dan orchideeën in haar haren zal vlechten en een tattoo op haar linkerschouder zal schilderen. Natuurlijk een tattoo die er weer afgewassen kan worden.

Het is tien uur 's avonds. De anderen zitten nog bij *Rits*, drinken wijn, eten wat en vertellen elkaar verhalen uit de wereld van de mode. Amelies hoofd duizelt van al het geklets. Ze kan het allemaal niet zo goed bevatten. De eerste dag, de shoot en de polaroidfoto's die Nick haar steeds weer heeft laten zien. Ze weet niet zeker of Nick echt tevreden was. 'Je kunt beter', had hij steeds weer gezegd. Of: 'Als je het niet redt, is het helemaal niet erg. Dan springt Janne wel voor je in.' Amelie heeft geen idee wie Janne is, maar ze wil dit in elk geval doen. Ze wil goed zijn. En ze doet haar best. Ze heeft zich nog nooit ergens zo voor ingespannen als voor deze shoot. School, vindt Amelie opeens, is niets vergeleken bij dit werk. Op school heb je om de drie kwartier pauze, kun je even ontspannen, gekheid maken, een frisse neus halen, wat je maar wilt. Hier mag je pas ontspannen als de fotograaf het teken daarvoor geeft. Maar Nick behoort niet tot de mensen die een pauze nodig hebben. Nick kan tien uur na elkaar doorgaan, steeds weer nieuwe diafragma's, nieuwe belichtingen, nieuwe achtergronden, een andere houding, een andere gezichtsuitdrukking. Vijf films hebben ze volgemaakt voor één enkel onderdeel: Amelie tegen een tuinhek geleund. Het tuinhek was er speciaal voor naar de studio gebracht. Een vrij bijzonder, antiek tuinhek van kersenhout. Naast het tuinhek hadden ze een oud melkstoeltje en een melkemmer gezet. 'Nu ontbreekt alleen de koe nog', had iemand gezegd en iedereen was in de lach geschoten. Nick niet. Nick had zijn assistent een teken gegeven dat hij een nieuwe film in de tweede camera moest leggen en had verder gewerkt. Amelie durfde ook niet te lachen. Ze moest haar gezicht zo houden als Nick had laten zien, de armen zo, de benen in een hoek, haar rechterknie een beetje naar buiten gedraaid, een volkomen onnatuurlijke houding die echter supernatuurlijk moest lijken, zoals Nick had uitgelegd.

Daarna zijn ze allemaal naar *Rits* gegaan, een brasserie, waar Gitte voor zeven personen een tafel had gereserveerd. Toen ze kwamen, stonden de flessen rode wijn, brood en water al op tafel. Nick had oesters besteld. Amelie had in haar hele leven nog nooit oesters gegeten. Wouter Hens had voor iedereen betaald en Amelie aangespoord iets echt lekkers te bestellen. 'Je was goed', heeft hij tegen haar gezegd. 'Ik hoop dat de raad van bestuur ook zo tevreden is als ik.'

Amelie vond het aardig dat hij dat zei.

Bertrand zat tegenover haar. Hij had het stokbrood verkruimeld en haar aangestaard. Soms was hij opgestaan en naar het toilet verdwenen. Wanneer hij terugkwam, leek hij anders, vrolijker, zijn ogen leken ook anders te staan. Hij had grapjes gemaakt. Hij had haar aangekeken. Zou Bertrand ook coke gebruiken, zoals zoveel mensen in dit vak?

Amelie had geglimlacht wanneer hij glimlachte, had geprobeerd het gesprek te volgen.

Op een gegeven moment was ze zo moe dat haar glas bijna uit haar hand gleed. Ze had rode wijn gedronken en dat verspreidde zich door haar lichaam als een warm vuur. En toen was ze uiteindelijk zo moe dat haar hoofd op tafel was gegleden. Toen is Bertrand opgestaan en heeft gezegd: 'Ik breng dit kind naar huis.'

Nu zit Amelie op de passagiersplaats, haar hoofd tegen het zijraam geleund en soest ze wat.

Bertrand rijdt in een oude jeep. Daarin zit je heel hoog, bijna als in een vrachtwagen, en de vering is heel hard.

Amelie heeft nog nooit in een jeep gezeten.

Het is een vreemd gevoel.

Bertrand draait een cd. De *Black Five.* Amelie kent de groep niet, maar ze vindt de muziek goed. Die hamert in haar hoofd, gaat door haar bloed. Na een poosje heeft ze het gevoel alsof het ritme haar hartslag bepaalt.

'Zo.' Bertrand zet de motor uit en legt een hand op haar knie. 'We zijn er, meisje.'

Aan de overkant hangt het verlichte bord van *Pension Engel.* Amelie vat moed, gaat met een hand over haar gezicht en glimlacht slaperig. 'Dank je, Bertrand', zegt ze. 'Dank je wel dat je me thuisgebracht hebt.'

'Oh,' zegt Bertrand, 'niets te danken.' Hij pakt haar rugzak van de achterbank en legt die op haar schoot. 'Als je wilt, breng ik je naar je kamer.'

Amelie schudt glimlachend haar hoofd. 'Dank je, dat is niet nodig.'

'Weet je het zeker?' vraagt Bertrand. Hij tuurt uit het raam. De straat waarin het pension ligt, is in duisternis gehuld. De enige straatlantaarn heeft de afgelopen nacht de geest gegeven. 'Vrij duister hier', zegt hij.

Amelie doet het portier open en klautert uit de jeep. 'Geeft niet. Ik ben eraan gewend.'

'Weet je het zeker?' vraagt Bertrand bezorgd.

Ten teken dat alles in orde is, klopt Amelie, terwijl ze om de auto heen loopt, even op de motorkap. Dan steekt ze de straat over. Wanneer ze de glazen deur naar de hal van het pension openduwt, hoort ze de motor van de jeep weer aanslaan.

Dan wordt het stil.

De receptie is niet bezet. Aan het sleutelbord ontbreekt haar sleutel.

Heel even blijft Amelie verbouwereerd staan en staart naar het bord. Wat heeft ze met haar sleutel gedaan? Ze rommelt in haar rugzak, probeert zich te herinneren hoe het is gegaan. Die morgen is ze met haar vader weggegaan. Ze zal het met Nick moeten hebben over de openstaande rekening. Van de vierhonderd euro per dag gaan er al vijftig af voor de overnachting. Dan het ontbijt. Zo lang de fotoproductie voor H&M loopt, hoeft ze zich geen zorgen te maken om het eten, worden er schalen met sandwiches, manden met fruit en gebak op de set gebracht en altijd gaat de koffiemachine. Amelie heeft nog nooit zo veel mensen gezien die voortdurend zo veel koffie kunnen drinken als de mensen in de studio. Ze drinkt zelf altijd alleen maar koffie bij het ontbijt en dan met veel opgeschuimde melk.

Als ze zwarte koffie drinkt, begint haar hart altijd als een razende te pompen, dan is ze bang dat haar hoofd gloeit en haar handen trillen. 'Koffie brengt het hart in beweging,' zegt haar moeder altijd, 'maar het kan ook te veel in beweging komen.'

Amelie is al opgewonden genoeg. Koffie heeft ze echt niet nodig.

'Hallo?'

Voorzichtig drukt ze de klink naar de verblijfsruimte naar beneden. Het ruikt er naar verschraalde sigarettenrook. Alleen de spaarzame verlichting in de hoek bij de bank brandt. De banken zijn bekleed met bloemetjesstof en zien er ellendig uit. Aan de andere kant liggen de kranten van die dag. Er is ook een waterautomaat. Maar die is al dagen leeg en wordt niet meer gevuld. Ook de thermoskan met kamillethee op het blad met de theeglazen is, zoals altijd, leeg.

Amelie doet het licht uit en loopt de trappen op naar haar kamer. Haar hoofd is zwaar en moe. Ze maakt zich niet druk om haar sleutel. *Hij zal wel ergens zijn,* denkt ze, *waarschijnlijk zit hij in het slot.* Misschien heeft de pensionhoudster hem daarin laten zitten toen de kamer schoongemaakt werd. Amelie probeert zich te herinneren hoe lang ze nu al in het pension woont. Alles wat er is geweest, is naar de achtergrond geraakt. De weg van school naar huis. Judith. Hoe zag Judith er ook alweer uit? Wat was haar lievelingstrui? Haar lievelingskleur? De laatste haarmode? Welk cijfer had Judith op haar laatste wiskundeproefwerk? Ze kan het zich allemaal niet meer herinneren. Dan denkt ze opeens aan Mario. Mario, die op het schoolfeest met haar gedanst heeft, Mario die opeens verscheen toen ze met Nick in de stad stond te praten. Was dat na die eerste foto's? Of daarvoor? En wat had Mario gezegd? Vroeger droomde ze ervan om met Mario bevriend te zijn. Ze dacht dat ze verliefd was op Mario. 's Nachts of 's avonds voor het slapengaan had ze allerlei scènes bedacht, liefdesscènes met Mario. Ze is bijvoorbeeld een keer met hem een heel eind door een besneeuwd landschap gelopen, door een dal waar kerkklokken luidden en de sneeuwkristallen fonkelden als diamanten. Dat was heerlijk. Mario's gezicht, de zon die weerspiegeld werd in de glazen van zijn zonnebril en zoals hij had gelachen en zijn armen had uitgespreid en 'Joehoeoeoe!' had geroepen.

Of die andere keer, toen had ze zich voorgesteld hoe ze met Mario had gedanst in een stranddisco. Het was een rozekleurig strand van heel fijn zand; ze had het zand tussen haar blote tenen gevoeld.

Mario droeg alleen een bermuda en een krans van bloemen om zijn hals, zoals de toeristen in het Caraïbische gebied. Misschien waren ze op Jamaica, misschien hadden ze een reis gewonnen bij een prijsvraag. Een calypsoband van bewoners van het gebied speelde op het strand, een superritme dat door haar hele lichaam trok. Mario en zij. Verder danste er niemand. De anderen hadden een kring om hen heen gevormd en hun sambaballen geschud en aan de horizon van de zee ging de zon onder. Bloedrood. Sinds die droom was Amelie ervan overtuigd geweest dat zij en Mario op een dag bij elkaar zouden komen. Maar tot nu toe is dat nog niet gebeurd. Sinds ze met Nick is gaan fotograferen, heeft Amelie geen woord meer met Mario gewisseld.

Judith wist helemaal niets van Amelies verliefdheid. *Vreemd eigenlijk*, denkt Amelie terwijl ze de trappen op gaat, *dat ik dat niet tegen Judith heb gezegd.*

Daaraan zie je toch dat we eigenlijk niet zulke heel goede vriendinnen waren, maar dat de een altijd een beetje jaloers was op de ander. Als je echt goede vriendinnen bent, moet je elkaar toch het beste gunnen en mag je nooit jaloers zijn.

Amelie slaat de gang in. Het plafondlicht brandt.

Haar kamer heeft nummer honderdzevenentwintig. De sleutel zit in het slot.

Amelie blijft staan. Haar hart bonst, opeens is haar hoofd volkomen helder. Ze loopt voorzichtig, op haar tenen, verder, blijft voor de deur staan en luistert.

Er komt geen enkel geluid uit de kamer.

Met ingehouden adem drukt Amelie de klink naar beneden.

Als het papa is, denkt ze, *doe ik de deur meteen weer dicht en loop ik naar beneden. Dan neem ik een taxi en ga ik terug naar de brasserie. Dan vraag ik Nick of ik bij hem kan overnachten, of bij Gitte. Of ergens anders. Ik wil vanavond beslist niet nog een keer met papa praten.*

Heel voorzichtig, zodat ze niet het geringste geluid maakt, drukt Amelie de klink naar beneden. Heel voorzichtig duwt ze de deur open.

Inez, een sigaret in haar ene hand en haar gsm in de andere, loopt de kamer op en neer. Inez in een zwartfluwelen cape, een rood hoedje op haar hoofd en rijglaarsjes van wit nappaleer aan haar voeten. Op tafel liggen haar spullen wanordelijk door elkaar. Haar handtas, een notebook, allerlei documenten. Het lijkt alsof Inez Amelies pensionkamer tot haar kantoor gemaakt heeft.

Als ze Amelie ziet, blijft ze staan.

'Hallo', zegt Amelie.

Inez loopt naar de tafel, pakt de asbak en drukt langzaam haar sigaret uit, heel langzaam. Dan neemt ze met een theatraal gebaar de fluwelen cape van haar schouders en slingert die op het bed.

'Waar was jij?'

Amelie trekt de deur achter zich dicht. Ze gaat op de rand van het bed zitten en doet haar schoenen uit. 'Ik was bij Nick.'

Inez gaat breeduit voor haar staan, haar handen op de heupen. 'Bij Nick?' Haar stem klinkt schril. 'Bij Nick? Heb ik dat goed gehoord? Je was bij Nick?'

'Alsjeblieft', smeekt Amelie. 'Schreeuw niet zo, iedereen slaapt al.'

'Weet je dat het me ongelooflijk koud laat of in deze hut iemand wel of niet slaapt?' Inez buigt voorover, pakt Amelie bij de schouders en schudt haar door elkaar. 'Wat heb je bij Nick gedaan? Ik heb je toch gezegd dat we niets meer met hem te maken hebben?'

'We hebben foto's gemaakt', zegt Amelie. Ze kijkt Inez koppig aan. Opeens voelt ze zich sterk, hoewel ze niet weet waarom.

'Je hebt foto's gemaakt?' briest Inez.

Amelie houdt haar handen voor haar oren.

'Wat voor foto's?' tiert Inez.

Amelie vertelt aarzelend van het telefoontje van die morgen en dat ze al twee dagen op Inez had zitten wachten, op nieuwe informatie, en dat ze gehoord had dat Inez weggegaan was, naar Milaan of naar Parijs of waar dan ook. En dat ze geen bericht voor Amelie had achtergelaten. 'Ik was helemaal wanhopig', zegt Amelie. Inez snuift alleen maar, trekt een nieuwe sigaret uit het doosje, steekt die tussen haar lippen en laat de aansteker opvlammen. In het licht van het vlammetje, heel even maar, lijkt Inez net een heks. Een heks met schmink en een vettige lippenstift in een te schrille kleur.

'Ik was op pad', zegt Inez. 'Ik heb ook nog iets anders te doen dan de hele dag babysitter voor jou te spelen. Ik moet geld verdienen, kindje, iemand moet jouw leven toch financieren.'

Amelie vraagt zich af of ze zal zeggen dat haar kamer al vijf dagen niet betaald is.

'En?' vraagt Inez. 'Wat betaalt Nick je hiervoor?'

'Vierhonderd per dag', zegt Amelie.

'Vierhonderd?' Inez' ogen worden heel klein. 'Meer niet?'

Amelie haalt haar schouders op. Ze wil zich uitkleden en ze wil naar bed. Bovendien moet ze heel nodig naar de wc. Ze durft de kamer echter niet te verlaten. Dus blijft ze zitten.

'Heb je dat op papier?'

Amelie knikt. Ze zoekt in haar rugzak de kopie van het contract. Inez rukt het papier bijna uit haar handen, loopt ermee naar de lamp en leest. Dan vouwt ze het op en legt het in haar notebook.

'Hola,' zegt Amelie, 'dat is van mij.'

'Ik ben je agente,' zegt Inez, 'ik houd me bezig met de financiële kant. Dat was afgesproken.'

'Wat?' Amelie fronst haar voorhoofd. Ze probeert zich iets te herinneren.'Wat hebben we afgesproken?'

'Fiftyfifty', zegt Inez.

Amelie knijpt haar ogen dicht om na te denken. 'Fiftyfifty? Wat betekent dat?'

'Dat betekent dat jij de ene helft van je honorarium krijgt en ik de andere helft.'

Amelies hoofd dreunt. Ze probeert te begrijpen wat Inez zegt. 'Dat kan toch niet!' Hoe kan Inez denken dat ze de helft van het geld krijgt?

'We hebben dat nooit afgesproken', zegt Amelie nijdig. Ze staat op, loopt naar de tafel en trek de kopie uit het notebook, drukt ze tegen zich aan.

Inez blaast de sigarettenrook door haar neusgaten naar buiten. Dat ziet er vreemd uit. Heel even is haar hoofd, het slappe, dikbepoederde gezicht, omringd door rookwolken.

Inez kijkt toe hoe Amelie het contract weer in haar rugzak doet. Ze zegt niets. Ze wacht.

Amelie gaat weer op de rand van het bed zitten. Haar hart gaat als een razende tekeer. De vermoeidheid is weg, de uitputting ook. Amelie heeft het gevoel dat ze nu heel helder moet zijn, dat ze elk woord dat Inez zegt, moet opslaan.

Inez zoekt doodgemoedereerd haar spullen bij elkaar en drukt haar sigaret uit in de asbak.

'We hebben het er morgen wel over, schatje', zegt ze. Ze blaast een kus naar Amelie en loopt naar de deur.

'Maar morgen heb ik weer een shoot!' roept Amelie.

Inez draait zich om. 'Weer bij Nick?'

Amelie knikte.

'Weer voor hetzelfde?'

'Ja,' zegt Amelie, 'hij heeft me drie of vier dagen geboekt.'

'In zijn studio?' vraagt Inez.

Amelie knikt. Ze drukt haar trillende handen tussen haar knieën, ze voelt zich ellendig, beroerd en weet niet waarom. Ze zou Bertrand willen bellen. Ze wilde dat Bertrand met haar mee naar boven gegaan was. Bertrand weet hoe je met dit soort situaties moet omgaan. Bertrand zou precies het juiste hebben gezegd. Maar nu? Ze is alleen. Ze heeft geen idee wat ze moet doen.

'We zien elkaar morgen, schatje', fluistert Inez. 'Welterusten en vergeet niet je make-up eraf te halen, anders ben je morgen net een stekelvarkentje.' Amelie laat zich op het bed vallen. Ze hoort Inez' stappen over de gang, de trap af. Ze hoort hoe beneden de voordeur in het slot valt. Even later wordt er een motor gestart; het licht van de koplampen flikkert over het plafond. Dan verdwijnt het motorgeluid en is alles stil.

Amelie zit in de tram wanneer haar gsm gaat. Ze heeft de telefoon de afgelopen nacht opgeladen en de voicemail beluisterd. Nick heeft drie keer iets ingesproken. Of liever: hij heeft iets op de voicemail gebruld. 'Ik moet je beslist spreken! Ben je van de ratten besnuffeld? Wat gebeurt er allemaal in dat stomme, blonde hoofd van jou?' Zo heeft hij gebruld.

Amelie heeft niet teruggebeld, uit angst. Ze denkt dat het beter is om met Nick persoonlijk te praten, op de set.

Wanneer de voorbereidingen voor de volgende foto's worden getroffen; wanneer er veel andere mensen bij zijn. Amelie weet ondertussen dat Nick zichzelf een beetje beter onder controle heeft als er toeschouwers zijn. Hij wil niet als opvliegend te boek staan, heeft ze begrepen. Lastige fotografen worden niet zo vaak geboekt als vriendelijke, ontspannen fotografen. Nick doet altijd zijn best om op de set een ontspannen sfeer te creëren, maar zodra er een kleinigheidje misgaat, loopt alles uit de hand.

Het is zeven uur. Amelie heeft de wekker op zes uur gezet om voldoende tijd te hebben in de badkamer. Ze wil deze keer niet slaperig en met opgezette ogen in de visagie verschijnen. Bertrand moet niet weer reden hebben om op haar te mopperen. Vandaag moet het allemaal goed zijn. Waarom Nick afgelopen nacht zo boos op haar was, heeft Amelie niet begrepen.

De tram waarin ze zit, rijdt juist langs het Centraal Station wanneer Nick weer belt.

'Waar zit je?' snauwt hij.

'In de tram', zegt Amelie. 'We rijden juist langs het station. Over tien minuten kan ik bij je zijn.'

'Dan zwaait er wat!' brult Nick.

'Wat is er aan de hand dan?' Amelie staat op van haar zitplaats. Ze stapt over de uitgestrekte benen van een knul met lange haren, die zijn gezicht achter de krant verborgen heeft en doet alsof hij de chaos in de overvolle tram niet ziet. Zijn dikke tas blokkeert de zitplaats naast hem.

Een vrouw die een kind van een jaar of twee op de arm heeft, kijkt verlangend naar de zitplaats, maar durft de knul niet aan te spreken.

'U kunt hier wel gaan zitten.' Amelie wijst op haar plaats.

'Wat?' roept Nick. 'Wat klets je?'

'Ik zei iets tegen iemand in de tram. Nick, wat is er aan de hand? Waarom doe je zo opgefokt?'

'Waarom ik opgefokt doe? Moet je dat aan mij vragen? Je raadt nooit wie me vannacht uit bed gebeld heeft!'

Amelie doet haar ogen dicht. *Hemel*, denkt ze, *Inez!*

Amelie schraapt haar keel. Ze moet zich vasthouden aan de leren lus wanneer de tram door de bocht gaat, maar valt desondanks tegen een medepassagier aan. Ze kijkt verontschuldigend naar de ander. Hij haalt alleen zijn schouders op en kijkt weer uit het raam.

Buiten valt natte sneeuw uit een donkere, troosteloze lucht. De passagiers zien er allemaal moe en bleek uit. Het vooruitzicht van een lange, troosteloze winter is op hun gezichten af te lezen.

'Inez?' vraagt Amelie. 'Heeft Inez je gebeld?'

'En of ze me gebeld heeft. Lieve hemel, hoe stom ben je eigenlijk? Ondertekent rustig een contract bij Inez dat ze vijftig procent van je gage krijgt. En dat vertel je niet aan mij?' Amelies gezicht gloeit. De tram stopt. Nieuwe passagiers drommen naar binnen; ze wordt nog verder naar achteren geduwd.

'Ik heb geen contract ondertekend', fluistert Amelie. Ze vindt het pijnlijk dat mensen haar zo aankijken.

'Wat?' buldert Nick.

'Echt niet! Ik heb geen contract ondertekend! Niet bij Inez in elk geval. Ik heb alleen het contract getekend dat Anne me gisteren heeft gegeven. Over die shoot!' roept Amelie nu.

Een passagier geeft haar een nijdige por. 'Kan het ook een beetje minder?' snauwt hij. 'Of denk je dat we allemaal waanzinnig graag willen weten wat voor contract je hebt ondertekend?'

Amelie laat van verlegenheid bijna de telefoon uit haar hand vallen. 'Nick,' fluistert ze, 'ik ben er bijna.'

'Zet je maar schrap!' brult Nick. De verbinding wordt verbroken.

Amelie zit, trillend als een espenblad, in de visagie. Sylvie heeft een rek met kleren binnengereden en zoekt nu bikini's, handdoeken en strandkleding bij de glimmende sandaaltjes, hoeden, brillen en badhanddoeken. Dan schrijft ze briefjes die ze op de spullen plakt. Terwijl ze aan het werk is, zegt Sylvie geen woord. Bertrand echter des te meer. 'Nick gaat tekeer', zegt hij vrolijk. 'Hij gedraagt zich als Repelsteeltje. Heb je echt een contract met Inez? Zonder dat tegen hem te zeggen?'

'Nee!' roept Amelie uit. 'Dat is niet waar!'

'En? Heb je het hem uitgelegd?'

'Dat ging niet', zegt Amelie wanhopig. 'Ik zat in de tram en Nick bleef maar brullen en de andere passagiers begonnen opmerkingen te maken. Ik heb gezegd dat ik met hem zou praten als ik hier was.'

'En nu is hij er niet', zegt Bertrand. De hele toestand lijkt hem nogal te amuseren.

Amelie heeft die dag een lichaamsmake-up nodig. Vanwege de bikini's. Haar buik moet dezelfde kleur hebben als haar decolleté, armen en benen. Bertrand zegt dat hij minstens een uur nodig heeft voor de make-up.

'Waar is hij dan?' vraagt Amelie.

'Geen idee. Ontbijten, met het team. Ik heb gezegd dat ik een uur nodig heb en toen is hij woedend vertrokken. Hij vindt dat we al om zeven uur hadden moeten beginnen met schminken. Maar niemand heeft me dat verteld.'

'Mij ook niet', zegt Amelie.

'Rustig maar, schatje, het valt allemaal reuze mee. Hij kalmeert wel weer.'

'En als Inez hier opeens verschijnt?' vraagt Amelie.

Bertrand grinnikt. 'Dan gaan de poppetjes aan het dansen.' Hij kijkt Sylvie aan. 'Zeg, Sylvie, ken jij Inez? Die dame die in de modewereld de touwtjes in handen denkt te hebben?' Sylvie neemt twee veiligheidsspelden uit haar mond. Ze grinnikt ook. 'Houd op over Inez. Die vrouw is een monster!'

'Inderdaad. Ze heeft niet bepaald een goede naam. Hoe ben je uitgerekend met haar in contact gekomen?'

'Geen idee', zegt Amelie hulpeloos. 'Ze heeft me bij de modellenwedstrijd aangesproken. Ze heeft me gewoon meegesleurd.'

Bertrand grinnikt. 'In de Lincoln-limousine?'

'Precies.'

Bertrand en Sylvie kijken elkaar even aan. 'Heeft ze nog altijd die gay chauffeur?'

'Geen idee.' Amelie glimlacht nu. 'Hij heeft ons naar een restaurant gebracht en Inez heeft me onder het eten van alles verteld en champagne besteld.'

Opnieuw wisselen Sylvie en Bertrand een blik. 'Heeft ze je verteld dat ze je naar New York zou brengen? En naar Rome? Naar de haute-coutureshows van Parijs?' vraagt Bertrand.

Amelie knikt. 'Ja, en dat ze een afspraak voor me zou maken bij IMG.'

Bertrand lacht. 'Zo doet ze dat altijd. Inez is echt een fenomeen. Ze zoekt altijd de juiste meisjes om naar haar praatjes te luisteren.'

Amelie begint ervan te stotteren. 'Hoe... hoe...w... wat bedoel je? Klopt er iets niet dan?'

Sylvie slentert naar de schminktafel, steekt een sigaret aan en leunt tegen de tafel. Ze blaast kringetjes van rook in de lucht en kijkt ze glimlachend na.

'Het had kunnen kloppen, schatje', zegt Bertrand. 'Tien jaar geleden.'

'Twintig', corrigeert Sylvie hem.

'Het had kunnen kloppen toen de concurrentie nog niet zo groot was. Toen je de damesbladen aan de hand had. Toen de modeontwerpers nog niet uit Japan kwamen, of uit Moskou, weet je, heel vroeger toen we nog allemaal één grote familie waren, toen was het nog zo. Maar vandaag de dag is dat anders.'

'Knalhard', zegt Sylvie en ze blaast kringetjes in de lucht.

'Vandaag zijn de mensen die aan de knoppen zitten, keiharde managers. Van dertig, welteverstaan. Voor hen is Inez een ouwe teef.'

'Een vette, ouwe teef.'

Bertrand brengt de make-up aan op Amelies bovenbeen. Dat is een gek gevoel. Het kriebelt en tegelijk lijkt het alsof er ijskoude gel over haar huid wordt verdeeld.

'Goed stilhouden', zegt Bertrand.

Amelie knikt. Ze perst haar lippen op elkaar en richt haar blik op een vast punt op het plafond. Misschien een spinnenweb of een oud, verdroogd insect. Ze wil niet trillen en niet huilen, ze wil niet in paniek raken, wat ze ook te horen krijgt.

'Het water staat Inez aan de lippen,' zegt Bertrand, 'dat weet iedereen in het vak. Ze moet geld lenen, bij vrienden, bij mensen die ze vroeger geholpen heeft. De banken geven haar allang geen geld meer. Inez is een uitlopend model. Ze heeft heel grote problemen sinds men heeft ontdekt dat ze een veertienjarig model een modeshow heeft laten lopen. Op een party met allemaal geile kerels.'

Amelie staart Bertrand aan. 'Maar ze heeft gezegd dat ze mijn kamer zou betalen. En mijn kleren. Ze heeft gezegd dat ze een ticket naar New York voor me zou kopen! Ze heeft gezegd dat ze de grootste is.'

Bertrand en Sylvie wisselen weer eenzelfde blik. En glimlachen. Amelie kan er bijna niet meer tegen dat ze glimlachen. Ze vindt het superoneerlijk dat ze haar behandelen als een klein, dom meisje dat je de waarheid stukje bij beetje moet bijbrengen.

'Zouden jullie me alsjeblieft eens willen vertellen wat er werkelijk aan de hand is?' roept ze.

Woedend gooit ze de handdoek weg die Bertrand op haar buik gelegd heeft. De make-upset valt en de lichtbruine make-up loopt uit over de grond. Bertrand wordt spierwit.

'Dit is niet waar', zegt hij zacht.

Sylvie staart naar een klodder make-up op haar zwarte broek. 'Moet je kijken!' jammert ze.

Ze staren allebei naar Amelie. 'Voel je je wel goed?' vraagt Bertrand, nog altijd zacht. Maar die zachte stem maakt Amelie banger dan het geschreeuw van Nick.

Ze rukt een paar tissues uit de verpakking en veegt daarmee de vloer schoon. 'Dit wilde ik niet', stamelt ze. 'Het spijt me, Sylvie, ik zal de stomerij betalen als je wilt.'

'Als ik wil?' vraagt Sylvie. 'Als ik wil? Wat heeft dat te betekenen? Die broek is van Yamamoto! Die heeft achthonderd dollar gekost! Ik heb hem in L.A. gekocht. Weet je wel hoeveel achthonderd dollar is?'

'Oh,' fluistert Amelie, 'dat spijt me. Dat wist ik niet.'

Ze wil de vlek van de broek vegen, maar Sylvie duwt haar woedend weg. 'Blijf van me af!'

De deur vliegt open. Anne komt binnen. In één oogopslag ziet ze wat er aan de hand is. 'Oh,' zegt ze, 'hier gaat iets niet goed.'

'Wegwezen!' roept Bertrand.

'Ik wilde alleen maar zeggen', zegt Anne, 'dat Nick er over tien minuten is. Hij verwacht dat jullie dan klaar zijn.'

Bertrand slingert de make-upspons in een hoek. 'Weet je wat jullie allemaal kunnen?' brult hij. 'De pot op! Ik heb geen zin meer om kleine, domme meisjes te schminken die het werk niet aankunnen en geen idee hebben hoe je je op de set moet gedragen. Het zit me tot hier, duidelijk?' Hij zoekt woedend zijn make-upspullen bij elkaar en gooit alles in zijn grote, grijze koffer. 'Zoek maar een andere idioot die het doet.' Hij knalt het kofferdeksel dicht.

'Bertrand, chéri,' zegt Sylvie voorzichtig, 'dat kun je toch niet maken.'

Amelie staat met de handdoek voor haar buik en trilt.

'Waarom kan ik dat niet maken?' brult Bertrand.

'Omdat de hele productie dan in het water valt.'

'Ja, en?' Bertrands paardenstaart wipt van opwinding. 'Ja, en? Dat laat me toevallig helemaal koud!'

Anne schraapt haar keel. 'Ik bel Nick', zegt ze en ze trekt snel de deur achter zich dicht.

Sylvie staart Amelie aan. 'Het is allemaal jouw schuld', zegt ze bits.

Amelie heeft tranen in haar ogen. 'Dit wilde ik helemaal niet. Jullie hebben me gewoon gek gemaakt. Ik wilde het allemaal goed doen.'

'Waarom doe je het dan niet goed?' buldert Bertrand.

'Omdat niemand me wat vertelt! Dat geklets over Inez...'
Amelie voelt dat ze haar tranen niet meer kan tegenhouden.
'Daar word ik doodmoe van. Ik weet helemaal niet meer wie
ik kan geloven en wie niet!' Ze barst in tranen uit, slaat haar
handen voor haar gezicht en holt dan de kamer uit. Bijna
verblind door de tranen zoekt ze de weg naar het toilet.
Bij de wasbak staat Gitte. In één oogopslag overziet ze de
situatie. 'Oh liefje', zegt ze medelijdend. 'Kom hier. Vertel
maar aan tante Gitte wat er aan de hand is!'
Gitte spreidt haar armen uit en Amelie valt er min of meer
in. 'Ze zijn allemaal zo supergemeen', snikt ze. 'Ze zeggen
steeds hoe dom en lelijk ik ben en dat ik niets weet. Maar ze
helpen me niet, snap je? Ze zeggen niet hoe ik het dan wel
moet doen. Waar ik op moet letten. Niemand helpt me. Ze
wachten alleen maar op het moment dat ik de mist inga.'
Gitte streelt haar rug. 'Je ziet het helemaal goed. Hier helpt
niemand je. Dit is een vechtwereld, een killerbranche, hier
kun je alleen jezelf helpen en anders ga je ten onder.'
Amelie veegt haar tranen weg. 'Je gaat ten onder? Wat bedoel
je daarmee?'
Gitte glimlacht en haalt haar schouders op. 'Alles en niets.
Het kan gebeuren dat meisjes die een grootse modellencarrière voor ogen hebben, in de tippelzone terechtkomen.'
'Wat?' fluistert Amelie met ronde ogen van verbazing.
'Of op een kalender met naaktfoto's.'
Amelie haalt diep adem, trekt een zakdoek uit haar jaszak en
snuit haar neus.
'Of ze nemen drugs om het vol te kunnen houden. Snuiven
hun neus vol, roken hasj tot ze omvallen, spuiten net zo
lang tot de beste visagist de blauwe plekken niet meer kan
wegpoetsen, krijgen anorexia, komen in de psychiatrie

terecht.' Ze trekt Amelie weer tegen zich aan en streelt haar.

'Ik heb alles al meegemaakt, echt alles.'

'En de meisjes die in New York terechtkomen?'

'Lieve schat', zegt Gitte glimlachend. 'Dat is er maar één op de honderd, of de duizend. Dat is een sprookje, een droom. Dat is niet de realiteit.'

Wanneer Amelie terugkomt in de visagie, is Nick er. Hij bespreekt met Sylvie de volgorde waarin de kledingstukken gefotografeerd gaan worden.

Hij is niet tevreden met de manier waarop Sylvie de spullen bij elkaar gelegd heeft.

'Wie moet dit dragen?' tiert hij. 'Geel T-shirt, rode bikini en een oranje handdoek? Weet je wel hoe dat eruitziet? Als de mode van de jaren negentig. En we fotograferen nu het derde millennium!'

Sylvie laat niet merken hoe gekwetst ze is. Zwijgend legt ze de spullen anders, trekt de veiligheidsspelden eruit, speldt andere kledingstukken aan elkaar.

'We beginnen met de marinecollectie', zegt Nick. Hij kijkt om zich heen. 'Waar is ze?'

'Je bedoelt mij?' Amelie komt het vertrek binnen. Ze heeft haar neus gesnoten, de tranen ingeslikt, ze is naar het toilet geweest en Gitte heeft haar een kop kamillethee gegeven.

Ze voelt zich weliswaar nog altijd niet goed, maar wel beter. Omdat het zo koud was op de wc, heeft Gitte haar de zwarte kimono gegeven die over haar stoelleuning hing. Daar heeft Amelie zich in gewikkeld als in een schild, de ceintuur heel strak getrokken. Haar taille lijkt zo smal, zo dun alsof ze elk moment in tweeën kan breken. Haar blote tenen zijn krom, alsof ze bang is om haar hele voet neer te zetten. De krulspelden in haar haren zijn uitgezakt. Maar het laat haar koud. Eigenlijk laat alles haar koud. Ze is zo ongelooflijk moe.

'Ja.' Nick staart haar aan. Zijn blik is vijandig, agressief, ongeduldig. 'Wie zou ik anders bedoelen? Ik moet van de duivel bezeten zijn geweest toen ik besloot om deze job met jou te doen.'

Amelie slikt. Haar oogleden trillen. 'Hoe bedoel je?' vraagt ze en haar stem hapert.

'Omdat de foto's shit zijn.'

Nick gooit een handjevol foto's op de grond. Heel even ziet Amelie het werk van gisteren langsgaan: bij het tuinhek, in een luchtig jurkje, in een Noorse trui, met een driekwart broek en een nauwsluitend topje. Amelie glimlachend, Amelie ernstig, Amelie met een strohoed in haar hand of met een konijntje dat ze kust. (Aan de foto's met het konijntje denkt ze het liefste terug. Het konijntje was zo bang dat ze zijn hartje voelde bonzen, snel en onregelmatig. Het konijntje was nog banger dan zij.)

'Moet ik vertellen,' brult Nick, 'wat Hens van die foto's vindt?'

'Nick!' Bertrand gaat tussen Nick en Amelie staan. Zijn brede schouders lijken een muur tussen hen in. Hij pakt Nick bij de schouders. 'Nick, stop nu met die shit. Ik weet heel goed dat Hens die foto's gisteren goed vond. Hij heeft het me in het restaurant nog verteld. Dus als je hier iemand af wilt kappen... als je Amelie af wilt kappen...'

'Houd je bek!' tiert Nick. Amelie doet een paar stappen achteruit van schrik. 'Bemoei je niet met mijn zaken! Ik praat met Amelie.'

Hij duwt Bertrand opzij. Nu staat hij voor Amelie, zijn

handen op zijn heupen, zijn ogen fonkelend van woede.

'Jij denkt dat je hier de lakens kunt uitdelen, niet?'

'Nee,' fluistert Amelie, 'dat denk ik niet!'

'Jij komt hier aanzetten met Inez en je denkt dat Inez er voor jou nog meer zal uithalen zeker?'

'Nee!' Amelie staart hem vol ontzetting aan. 'Dat is niet waar!'

'En waarom heeft ze me dan gebeld?'

'Dat weet ik toch niet, Nick.'

'Ze heeft me midden in de nacht uit bed gebeld en me verteld dat ik jou niet had mogen contracteren. Zonder haar toestemming. Ze heeft gezegd dat zij vijftig procent van je gage krijgt. Jij krijgt dus tweehonderd, baby, en niet meer. Die andere tweehonderd maak ik over naar Inez. Eigen schuld, als je je met bloedzuigers inlaat.'

'Nick,' zegt Sylvie streng, 'dat is niet eerlijk. Zo kun je Amelie niet behandelen.'

'Ik behandel haar zoals ik wil!' tiert Nick. 'Als ze me te slim af wil zijn, moet ze eerder opstaan!'

'Maar ik wil je helemaal niet te slim af zijn', snikt Amelie. De tranen die ze zo moeizaam heeft binnengehouden, komen nu terug.

'Niemand wil je te slim af zijn, maat', zegt Bertrand op verzoenende toon. 'Jij zit alleen altijd jezelf in de weg, weet je dat wel?'

Nick kijkt om zich heen als een opgejaagd dier. Dan bukt hij zich, raapt de foto's weer op en legt ze op elkaar als een kaartspel.

'Feit is echter,' zegt hij, 'dat ze me daarnet hebben gebeld. Dat ze je niet willen, Amelie. De voorzitter van de raad van bestuur wil je niet. Hij zegt dat je op de foto's niet echt overkomt. De feeling komt niet over zoals zij die willen hebben. Om jou kan ik deze opdracht kwijtraken.'

'Wat voor feeling is dat dan?' fluistert Amelie. Ze moet zich vasthouden, omdat haar benen opeens van gelatine lijken te zijn. Ze bedenkt dat ze nog niet ontbeten heeft. Het lijkt een eeuwigheid geleden dat ze uit bed gestapt is. Een eeuwigheid waarin ze niets heeft gegeten of gedronken. Maar wel driemaal door de hel gegaan is. Haar maag krimpt samen.

'Wat voor feeling?' tiert Nick. 'De life-is-beautiful-feeling, verdraaid nog aan toe! Waar hebben we het hier de hele tijd over? We maken modefoto's voor meisjes van jouw leeftijd, veertien tot twintig, ergens daartussen, en we hebben een meisje nodig van wie je aan haar gezicht kunt zien, in haar ogen kunt lezen hoe heerlijk en geweldig en opwindend en spannend het leven is. En weet je hoe jij overkomt?'

Nick dringt Amelie steeds verder in de hoek. Amelie deinst angstig voor hem terug. Hij ziet er angstaanjagend uit, als bezeten, zijn blik is star en zijn kaak kraakt bij elk woord. Amelie grijpt beschermend naar haar hals.

'Nick,' fluistert ze, 'wind je toch niet zo op.'

'Jij brengt de life-is-shit-feeling over, dat is het!' brult Nick. 'En ik heb er mijn buik vol van.' Hij holt naar haar stoel, pakt haar spijkerbroek, haar trui, haar sokken, schoenen en slingert alles door het vertrek. 'Pak je spullen en verdwijn! Nu meteen!'

'Dit meen je niet serieus, Nick', zegt Bertrand rustig.

'Nick', roept Sylvie bezwerend. 'Maak toch niet alles kapot. Laten we aan het werk gaan. We moeten geen ruzie maken.'

'Ik begin niet met het werk voordat deze zaak uit de wereld is!' tiert Nick. 'Ik wil dat zij nu vertrekt. Onmiddellijk!'

'Ze heeft een contract', zegt Bertrand rustig. Hij houdt nu

Amelies hand vast alsof hij haar wil beschermen. Amelie probeert zich achter Bertrands brede rug te verstoppen. 'Je hebt het contract zelf opgesteld.'

'Ik niet, dat heeft de klant gedaan!' roept Nick. 'Die klant wist echter niet dat Inez mee in de boot zit. En weet je wat?' Hij duwt Bertrand aan de kant en kijkt Amelie woedend aan. 'Als we geweten hadden dat je een contract met Inez had... dan was elke foto voor niets geweest. We hadden je er vierkant uitgesmeten.'

'Maar ze heeft helemaal geen contract met Inez!' roept Bertrand.

Nick luistert niet. Hij wil niet luisteren. Hij pakt Amelie bij de schouders en schudt haar door elkaar. 'Je verdwijnt en je komt nooit meer terug, begrepen?'

Amelie knikt. Ze heeft een dikke prop in haar keel en kippenvel over haar hele lichaam. Alles doet pijn. Elk botje, elke ademhaling.

'En dan vergeet je alles, begrepen? Alles.'

Sylvie raapt Amelies kleren op. 'Je bent gek', zegt ze. 'Je bent helemaal over je toeren.'

'We zullen nog wel eens zien wie hier over zijn toeren is', brult Nick.

Iemand steekt een hoofd om de hoek van de deur. Het is Anne.

'Nick?' zegt ze.

'Wat is er?' buldert Nick.

'Catherine is er', zegt Anne. 'Zal ik haar al naar de visagie sturen?'

Amelie verstijft. Catherine, dat is het meisje dat de wedstrijd gewonnen heeft.

Het meisje op wie alle schijnwerpers gericht waren. Dat al in

New York zou zijn en een contract met IMG zou hebben. Is zij nu hier?

'Laat haar maar komen', snauwt Nick. Hij kijkt Amelie aan. 'En voor jou heb ik één advies: laat je hier nooit meer zien!' Hij stormt weg.

Amelie staat als versteend op haar plaats. Sylvie heeft Amelies kleren in haar hand. Bertrand raapt de foto's op van de grond.

Amelie bukt zich om hem te helpen. Als haar blik louter toevallig op de deur valt, verstijft ze.

Daar staat Catherine, mooi, stralend, met waterig blauwe ogen, die schitteren van opwinding, en zijdeachtige haren, die soepel rond haar gezicht vallen.

'Hallo', roept ze met het piepstemmetje dat Amelie bij de casting al zo verschrikkelijk vond. 'Ik ben Catherine. Ben ik hier goed? Ik moet naar de visagie. Het gaat om foto's voor de catalogus van H&M.'

Heel even blijft het doodstil. Niemand beweegt. Dan richt Bertrand zich op, legt de foto's voorzichtig op de schmink-tafel, veegt zijn handen af aan een handdoek en steekt zijn armen uit.

Langzaam, met een stralend gezicht, loopt hij op Catherine af. 'Schatje,' roept hij, 'je zit hier helemaal goed! Mijn naam is Bertrand en ik beloof je dat ik je in een smakelijk bonbonnetje zal veranderen. Je gezicht zal van alle lichtzuilen en bushokjes stralen. Niet alleen in ons land, maar in heel Europa!'

Catherine geeft licht. Haar gezicht straalt, ze danst door het vertrek en geeft Bertrand een hand. Bertrand draait haar om haar eigen as. Catherine staat op haar tenen en aan de manier waarop ze zich beweegt, is te zien dat ze een balletopleiding heeft gehad: vol gratie en volkomen natuurlijk. Ze glimlacht naar Amelie. 'Hallo,' roept ze, 'ik ben Catherine.'

Sylvie loopt naar het kledingrek, haalt een gebloemd strandjurkje van doorzichtig organza tevoorschijn en houdt het Catherine voor. 'Ongelooflijk', zegt ze. Alsof het voor jou gemaakt is. Daar beginnen we mee, wat Nick ook zegt.' Sylvie kust Catherine op haar wang.

Niemand heeft Amelie op haar wang gekust, niemand heeft tegen haar gezegd dat ze er ongelooflijk uitzag en dat de kleren voor haar gemaakt leken te zijn. Niemand heeft gezegd dat ze er zou gaan uitzien als een smakelijk bonbonnetje en dat haar foto op alle bushokjes zou hangen. Maar Catherine doet alsof ze dit gewend is. 'Alsof ze het dagelijks hoort. Glimlachend loopt ze rond, bekijkt alles, laat zich door Sylvie uitleg geven bij de kleren en slaakt bij een aantal kledingstukken verrukte kreten. Amelie krijgt hoofdpijn, alleen al van ernaar te luisteren. Zwijgend wrijft ze haar lichaam schoon met tissues, die ze daarna in de papiermand laat vallen. Niemand bekommert zich nog om haar. Ze neemt het washandje, houdt het onder de kraan en wrijft haar gezicht schoon. Ze laat het washandje in de wasbak vallen, doopt haar vinger in de dagcrème en masseert daarmee haar gezicht.

Al die tijd danst Bertrand om Catherine heen en neemt Sylvie met haar de outfits door.

'Het motto', zegt Bertrand, 'moet overkomen. Het beeld van H&M het komende seizoen moet zijn: life is beautiful. Begrepen?'

Catherine lacht, gooit haar hoofd in haar nek, haar haren schieten vonken omdat ze zo fris, zo glanzend zijn. Amelie kan bijna niet uit haar ogen kijken van de hoofdpijn.

'Natuurlijk begrijp ik dat. Het leven is toch ook heerlijk, nietwaar?' Catherine doet haar handen boven haar hoofd en draait een pirouette. 'Oh, ik kan het gewoon nog niet geloven', roept ze uit. 'Vier weken geleden stond ik nog in de supermarkt achter zo'n stomme kaasbalie en nu ben ik beroemd!'

'Je bent nog niet beroemd, chérie', zegt Bertrand rustig.

'Maar ik durf te wedden dat je het gaat worden.'

Catherine kijkt naar Amelie. Amelie beantwoordt haar blik. Amelie weet niet wat voor grimas ze maakt, maar ze weet zeker dat haar gelaatsuitdrukking niet bepaald de life-is-beautiful-feeling overbrengt. Het laat haar koud.

Ze zoekt haar spullen bij elkaar, pakt ook twee of drie foto's en verdwijnt.

Op het toilet kleedt ze zich aan. Langzaam zakt de spanning. Haar vingers trillen niet meer, haar hart bonst niet meer zo dat ze elk moment denkt dat ze een hartinfarct gaat krijgen. Ze wordt rustig. Rustig en ontspannen. Door de deur hoort ze stemmen, gelach en het geschreeuw van Nick. Af en toe gaat de telefoon en dan neemt Anne aan.

Het laat haar koud wat de mensen zeggen, waarover ze lachen. Ze wil alleen nog maar weg. Weg. Ze wil niemand meer onder ogen komen.

Amelie propt haar spullen in de rugzak, zet haar muts op en doet haar sjaal om.

Wanneer ze de deur van het toilet opendoet, kijkt ze spiedend de gang in. Die ligt er verlaten bij.

Ze loopt op haar tenen langs de visagie, langs de deur van de studio, langs het secretariaat naar de lift. Ze keert haar rug naar de gang als ze op de lift wacht.

Niemand ziet haar, niemand houdt haar tegen. In haar
jaszak ritselen de foto's. Ze knijpt haar vingers eromheen.
De lift komt, Amelie stapt in, drukt op de knop waarop staat
'parterre'. De lift zakt naar beneden. Amelie doet haar ogen
dicht en telt tot tien.

Stokkend komt de lift tot stilstand. De deuren gaan open.
Amelie loopt door de spaarzaam verlichte gang, duwt de
voordeur open – een oude met houtsnijwerk versierde deur
van lang geleden – en opeens staat ze op straat.

De natte sneeuw is overgegaan in echte sneeuw. Dikke,
witte vlokken vallen uit de lucht. Ze hebben alles
veranderd, alles al bedekt met een laagje wit poeder. Zelfs
de tram die langsrijdt heeft een muts van sneeuw. Aan
de overkant, op de reclamezuil, glimlacht een meisje met
een beker yoghurt in haar hand. De tekst onder de foto is
niet leesbaar; er ligt sneeuw op. Op de rode pannendaken
schittert witte sneeuw.

Amelie legt haar hoofd in haar nek en wacht tot de dikke
sneeuwvlokken op haar gezicht vallen en smelten. Elke
gesmolten sneeuwvlok veroorzaakt een opwindende tinteling
op haar huid. Amelie glimlacht.

Ergens achter haar op de vierde verdieping van de oude
fabriek, in de studio, staat een meisje met blote benen en een
blote buik dat zich laat fotograferen in een gele bikini.

En ze glimlacht. Denkt misschien dat ze morgen beroemd
is. Maar misschien komt Nick morgen wel de studio binnen-
stormen, gooit hij de foto's voor haar op de grond en vraagt
haar op te hoepelen.

Amelie kijkt op haar horloge. Het is tien over tien. Ze gooit
haar rugzak over haar schouder en loopt naar de tramhalte.
De tram van veertien over kan ze halen als ze voortmaakt.

'Inez? Is dit Inez? De verbinding is zo slecht!'

'U spreekt met Leslie Morante. Met wie spreek ik?'

'Mijn naam is Amelie.'

'Ah, Amelie, ik weet wie je bent. Een ogenblik, ik probeer Inez aan de telefoon te krijgen... blijf even hangen, ja?'

'Oké, maar ik bel met mijn gsm. Ik sta in het station dus ik weet niet hoe de verbinding is.'

'In het station? Welk station?'

Amelie noemt het station en het perron. 'Mijn trein kan elk moment hier zijn en dan...'

'Moment, ik denk dat ik weet waar ik Inez kan bereiken.'

Amelie hoort een tik in de lijn, dan klinkt een muziekje, een Frans chanson. Een of andere tekst, die Amelie in de Franse les ooit heeft besproken. Destijds bij mademoiselle Jacqueline Vandamme, haar lerares Frans. Ze wilde beslist dat de leerlingen haar mademoiselle noemden en iedereen had erom gelachen. 'Ze wil zeker absoluut voor maagd doorgaan', had Mario gezegd. 'Waarom eigenlijk?'

Amelie probeert zich Mario's gezicht voor de geest te halen wanneer ze nu weer op school verschijnt. Waarschijnlijk zal ze hem onderweg naar school niet zien, want daar ziet ze hem vrijwel nooit alhoewel hij uit dezelfde buurt komt, ergens aan de zuidkant van de stad. Eigenlijk zou hij ook de bus moeten nemen waarmee zij altijd gaat. Maar 's zomers komt Mario met zijn bike, een cross country bike met vierentwintig versnellingen. Hij is supertrots op zijn fiets en heeft een enorme scène gemaakt toen iemand die ooit uit het fietsenrek had gehaald en gewoon in de struiken had gegooid. Niemand kon toen verklaren waarom de fiets daar lag. Maar Amelie had wel een vermoeden: 'Iemand die jaloers is omdat jij met zo'n duur ding rijdt.' En Mario had gezegd:

'Deze planeet gaat nog eens kapot aan de jaloezie van de mens.' Dat vond Amelie toen behoorlijk cool. En ook wel waar. Ze kende zo veel mensen die jaloers op iemand waren. Omdat ze mooiere benen hadden, grotere borsten, omdat ze het lievelingetje van de wiskundeleraar waren of vaker voor feestjes werden uitgenodigd. Een reden was er altijd wel. Judith bijvoorbeeld. Ze was jaloers geweest omdat Nick met Amelie foto's had willen maken en niet meer naar haar, Judith, had omgekeken.

'Amelie, ben je er nog?'

Amelie drukt haar gsm tegen haar oor. 'Ja, ik ben er. Ik ben in het station.'

'Dan verbind ik je door met Inez. Hoihoi.'

Weer tikt er iets. Amelie kijkt naar het perron. Het is 's middags nooit zo druk op het station als 's morgens of 's avonds, wanneer iedereen zich over het perron haast, op weg naar of van hun werk. 's Middags krijg je meestal wel een zitplaats. Dan zitten er vrouwen in de trein die gaan shoppen, of leerlingen die naar de film gaan. Oude mensen op weg naar een koffievisite of mensen die geen werk hebben en kunnen kiezen wanneer ze in de trein stappen.

De mensen die het perron op komen, hebben allemaal sneeuwvlokken op hun schouders, in hun haren. Sommigen trekken hun jas uit en schudden die af, anderen gaan, zo nat als ze zijn, op een bank zitten, het hoofd gebogen, en wachten.

Amelie staat, de koffer tussen haar voeten, midden op het perron, vlakbij de bagagewagens. Het kost een euro om een kar te kunnen gebruiken. Soms ziet ze iemand die in zijn zak naar een geldstuk zoekt en dan schouderophalend verderloopt. Zo gaat dat meestal: je hebt dan net geen euro in je zak.

'Amelie, waar ben je? Met Inez.'

'Hallo Inez.'

'Waar zit je???'

'In het station. Dat heb ik toch al gezegd. Ik ga terug naar huis, Inez. Ik wilde je gedag zeggen.'

'Wat? Wat ga je doen? Weg? Ben je gek geworden?'

'Dat vroeg Nick daarstraks ook al.'

'En terecht! Lieve hemel, kind, wat is er aan de hand?'

'Niets, ik voel me prima.' Amelie haalt diep adem. 'Ik voel me veel beter dan gisteren of eergisteren of een van die dagen dat ik op jouw telefoontje zat te wachten.'

'Je weet toch dat ik niet kon bellen.'

'Ja, dat heb ik begrepen, maar ik heb niet begrepen waarom je tegen Nick hebt gezegd dat wij een contract hebben. Een contract waarin staat dat ik de helft van mijn verdiensten aan jou moet afdragen.'

'Amelie, daar moeten we het in alle rust over hebben! Kom naar mijn kantoor, ja?'

'Nee, ik kom niet naar je kantoor. Ik kom nergens naartoe. Ik hang op.'

'Wat?'

'Ik doe het niet meer. Ik heb er geen zin meer in.'

'Je hebt er geen zin meer in? Denk je dat het daarom gaat: of je zin hebt of niet?'

'Ja, dat denk ik. En ik weet nu dat het een shitjob is. Sorry, maar zo is het wel. Mensen in deze branche sporen niet. En ze maken de modellen kapot. Niemand blijft lang normaal in dit werk. Ik wil normaal blijven. Ik wil een heel normaal leven leiden.'

'Lieve hemel, kindje, wat saai. Wat ben je naïef. Er komt een moment dat je zou willen dat je nooit zulke onzin had uitgekraamd.'

'Daar hoef jij niet mee te zitten. Voor mij gaat het erom dat ik geen contract met je heb. Ik heb niets ondertekend. Ik ben je niets schuldig, helemaal niets. Ik begrijp eigenlijk niet waarom je tegen Nick hebt gezegd dat wij een contract hebben. Daar kan ik echt niet bij. We hebben het nooit over een contract gehad. Ik wist helemaal niet dat zoiets bestaat.'

'Lieve kind, luister. In de zakenwereld kun je niet zonder overeenkomsten. Zonder heldere afspraken tussen de beide zakenpartners. Wat je ook doet, er moet altijd een overeenkomst zijn.'

'Oké, maar die hebben wij niet.'

'Nee, omdat we daar nog geen tijd voor gehad hebben. Omdat ik druk bezig was om je ergens te plaatsen. Ik heb mijn benen uit mijn lijf gelopen voor jou, Amelie. En dan hoor ik opeens dat Nick foto's met je maakt en dat je bij hem een contract hebt ondertekend. Dat is tegen de afspraak, Amelie. Jij hoort bij mij, in mijn stal, en ik bepaal voor wie en met welke fotograaf je werkt. En niemand anders.'

'Maar je hebt me helemaal geen opdracht bezorgd.'

'Denk je dat dat zo snel gaat?'

'Je hebt niet eens mijn kamer betaald. Iemand zal die moeten betalen. Van mijn vergoeding. Ik heb gisteren vierhonderd euro verdiend.'

'Heeft Nick je die betaald?'

'Nee, dat niet. Hij was zo nijdig. Hij schreeuwde alleen maar en ik had er geen zin meer in. Bovendien heeft hij een ander meisje.'

'Een ander meisje? Wie? Waarom weet ik daar niets van?'

'Geen idee', zegt Amelie.

'Weet je wie het is?' vraagt Inez.

'Ja, Catherine.'

Heel even blijft het stil, dan hoort Amelie hoe Inez diep ademhaalt. 'Die hufter!' roept ze. 'Ik heb Catherine ontdekt! En hij maakt foto's met haar zonder mij...'

De verbinding is verbroken. Amelie drukt haar gsm nog eens goed tegen haar oor en roept: 'Hallo! Hallo?' Maar ze hoort niets.

Via de omroepinstallatie komt het bericht dat de trein binnen gaat lopen en dat het publiek van de rand van het perron weg moet.

Amelie schuift met haar voet haar koffer iets terug. De trein komt met veel kabaal binnen. Deuren gaan open, mensen stappen uit en bij elke deur vormt zich meteen een trosje passagiers om in te stappen.

Amelie blijft achter, ze wacht tot de eerste drukte voorbij is. Dan tilt ze haar koffer naar binnen en stapt zelf ook in. Wanneer de trein wegrijdt, loopt ze nog altijd door de coupés op zoek naar een zitplaats.

Haar gsm gaat. Maar Amelie reageert niet.

Ze tilt haar koffer in het bagagerek en gaat zitten. De conducteur vraagt haar kaartje. Er loopt een verkoper langs met koffie, thee, melk en chocolademelk. Hij heeft ook verse broodjes en belegde stokbroodjes. Opeens voelt Amelie dat ze trek heeft. Ze koopt een beker chocolademelk en twee broodjes.

Terwijl ze langzaam kauwt en de warme chocolademelk met kleine slokjes drinkt, kijkt ze uit het raam. Hoe verder ze Brussel achter zich laat, hoe lichter het wordt. Het landschap ligt wit bepoederd onder een stralend blauwe hemel.

Amelies gsm gaat. Ze haalt hem uit haar jaszak, zet hem gewoon uit en kijkt weer uit het raam.

De jongen die tegenover haar zit, grinnikt. 'Geen zin om te praten zeker?' vraagt hij.

Amelie knikt. Ze glimlacht. 'Inderdaad.'

'Ik ken dat gevoel', zegt hij. 'Ik heb mijn gsm ook uit staan. Ik weet precies wie er belt.'

'Wie belt er dan?' vraagt Amelie.

'Mijn moeder', zegt de jongen. 'Ik weet ook precies wat ze wil zeggen.'

'En wat wil ze dan zeggen?'

'Kom terug, wil ze zeggen. Het was niet zo bedoeld, joh, dat wil ze zeggen. Maar ik kom niet terug. Ik heb het gezien. Ik ga naar Amsterdam.' Hij haalt zijn schouders op en kijkt uit het raam.

Amelie kijkt naar hem. De jongen is veertien, vijftien misschien.

Amelie vermoedt hoe hij zich voelt.

Zoals zij toen ze van huis wegging.

En nu? Nu is ze op de terugweg.

Zal ze het hem vertellen?

De jongen trekt zijn trui tot over zijn hoofd, zodat zijn gezicht helemaal bedekt is, en nestelt zich in het hoekje.

Hij wil niet praten, denkt Amelie.

Ze begrijpt het wel. Zo verging het haar ook.

Wanneer ze in Antwerpen zijn en Amelie moet overstappen, kijkt de jongen even uit de trui.

'Veel geluk!'

De jongen heft zijn hand en maakt het victorieteken.

Wanneer Amelie buiten op het perron langs de coupé loopt, kijkt de jongen haar aan. Hij glimlacht niet. Hij kijkt een beetje treurig. Amelie heeft medelijden met hem. Ze glimlacht wanneer ze langsloopt. Hij wendt zijn hoofd af.

Judith weet het al. Ze zit op haar plek, tien minuten voordat de les begint, en kijkt Amelie aan.

Amelies hart gaat tekeer, maar ze glimlacht. Ze voelt zich goed. Ze kan zich niet herinneren wanneer ze voor het laatst zo goed geslapen heeft. Haar bed: een wolk in de hemel, een wiegje. Het open raam, de heldere lucht die binnenstroomde. Die morgen lag alles onder een dikke laag sneeuw. Toen haar moeder haar wekte, voelde ze zich zo heerlijk dat alles wel een droom leek.

In de badkamer staan haar spullen weer op het plankje. Haar beker, haar borstel, haar pincet, de labello. De ontbijttafel is gedekt voor vier personen. Net als vroeger. Mirjam heeft een punt gezet achter haar relatie met Leo en oogt op de een of andere manier rustig. In elk geval huilt ze niet en ze interesseert zich weer voor de zwemvereniging. 'Een goed teken', zegt haar moeder. Haar vader heeft geglimlacht en zei: 'Zo worden ook mijn meisjes weer helemaal normaal.'

Toen is Mirjam boos geworden, een klein beetje maar, en hun vader heeft zijn woorden snel teruggenomen. Hij wil geen ruzie meer, niemand wil ruzie.

Wat Amelie heeft meegemaakt, willen ze niet weten. Nog niet. Maar ooit zal het zover zijn. Dan zullen ze met vragen komen en zal Amelie moeten bedenken wat ze wil vertellen. En hoeveel.

Hoe ze zich gevoeld heeft, zal ze niet vertellen. Dat blijft haar geheim.

Misschien kan ze het op een dag aan Judith vertellen als alles tussen hen weer goed is.

'Hallo', zegt Judith. 'Ik heb je plek vrijgehouden.'

'Dank je, aardig van je.'

Amelie gaat zitten en pakt haar schoolspullen. Eerste uur: Engels. Amelie heeft geen idee hoe ver ze ondertussen zijn. Ze vraagt het ook niet. Ze wil alles rustig op zich af laten komen.

'En?' vraagt Judith.

Amelie glimlacht. 'Wat en?'

'Gaat het goed met je?'

'Ja,' zegt Amelie, 'redelijk.'

Dan glimlacht ze weer en bladert in haar boek.

'En hoe is het met jou?' vraagt Amelie na een poosje, waarin Judith haar alleen maar zwijgend van terzijde heeft aangekeken.

'Met mij? Ik weet het niet. Niet zo goed.'

'Waarom niet?'

'Omdat ik me schaam', zegt Judith.

'Oh?' Amelie trekt verbaasd haar wenkbrauwen op. 'Waarom schaam jij je?'

'Om die stomme mail die we gestuurd hebben. Sarah en ik. Ik ben niet meer met haar bevriend, als je dat soms wilt vragen.'

'Dat wilde ik helemaal niet vragen', zegt Amelie, maar ze is wel blij.

Dan zwijgen ze weer. Nog vijf minuten tot de les begint. Amelie vraagt zich af of ze nu al over de foto's zal beginnen. Of straks pas. Maar ze kan eigenlijk niet langer wachten. Dus haalt ze de foto's uit haar tas. De laatste die Nick van haar heeft gemaakt.

'Kijk', zegt ze.

Judith buigt zich naar haar over, kijkt met grote ogen naar de foto's.

'Oh', zegt ze. 'Van jou?'

'Tuurlijk', zegt Amelie. 'Anders zou ik ze toch niet bij me hebben?'

'En? Wat doe je ermee?'

Amelie pakt de foto's en scheurt ze dwars doormidden. Dan laat ze de snippers rechts en links op de grond vallen. Judith kijkt ernaar met ogen als schoteltjes.

Amelie glimlacht. 'Nu staan we quitte', zegt ze.

Judith moet even nadenken tot ze begrijpt wat Amelie daarmee bedoelt. Dan bedenkt ze dat Amelie destijds met de verscheurde foto's op school gekomen is. En dat zij toen zo boos gereageerd heeft. Heel erg boos.

Ze kan het zich nauwelijks nog herinneren.

'Voor mij had je dat niet hoeven doen', zegt Judith. Dan wordt ze een beetje rood.

Amelie glimlacht. 'Ik heb het ook niet voor jou gedaan,' zegt ze, 'maar omdat ik me daar prettig bij voel. Begrijp je dat?'

Judith kijkt haar aan, lang. Amelie ziet hoe haar mooie wimpers trillen. *Judith is echt heel knap*, denkt ze, *eigenlijk veel knapper dan ik*. En terwijl ze het denkt, stelt ze vast dat haar dat geen pijn doet, dat ze helemaal geen steek door haar hart voelt.

Van jaloezie. Of afgunst. Een heel nieuw gevoel, een goed gevoel.

'Ja,' zegt Judith langzaam, 'ik denk dat ik begrijp wat je bedoelt.'

De leraar Engels komt binnen. Wanneer hij zijn spullen op de tafel legt, buigt Amelie zich snel naar Judith over.

'Nog één vraag', fluistert ze.

'Ja?' vraagt Judith.

'Heeft Mario een ander?' fluistert Amelie.

Judith lacht. Ze schudt haar hoofd.

'Nee? Echt niet?' Amelie merkt dat ze rood wordt van vreugde.

'Ik denk dat hij op jou gewacht heeft', fluistert Judith. 'Hij wist zeker dat je terug zou komen.'

Girls 13+
De complete raadgever

Girls 13+ is de complete raadgever voor meisjes vanaf 13 jaar.
In zo'n 200 trefwoorden, gerangschikt van A tot Z, komt alles
wat een rol speelt in jouw leven en dat van je vriendinnen
aan bod. Van complexen tot make-up en van tongzoenen tot
vreetbuien, geen enkel belangrijk thema ontbreekt. Weet je
het allemaal even niet meer? De genuanceerde en verhelde-
rende teksten zullen een antwoord bieden op de vele vragen
waar je mee zit en je helpen je weg te vinden in het doolhof
dat opgroeien soms is.

ISBN 978 90 02 23459 0

Party Girl

Lees
de eerste bladzijden
van *Party Girl*!

Anna wordt op straat aangesproken door Mirko. Hij wil
haar per se leren kennen. En meestal krijgt hij wat hij wil.
Voor Anna is de ontmoeting met Mirko liefde op het eerste
gezicht. Nooit eerder was zij zo gelukkig. Maar dan merkt
ze dat Mirko haar gebruikt en met haar speelt. Als ze dat
ontdekt, is ze echter al te zeer verstrikt geraakt in Mirko's
wereld. Ze verliest de controle over het gevaarlijke spel.

ISBN 978 90 02 23877 2

1

Eigenlijk had dat wat Anna deze herfst overkwam,
helemaal niet hoeven te gebeuren. Eigenlijk was het zogoed
als uitgesloten dat uitgerekend zij in zo'n situatie zou
terechtkomen.

Het was namelijk zo dat Anna helemaal niet gaf om party's.
Ze behoorde niet tot de meisjes die 's avonds onrustig
worden en zich urenlang in de badkamer opsluiten. Ze
was niet iemand die al van tevoren zou proberen high te
worden met muziek om alvast in de stemming te komen,
de installatie op het hoogste volume, altijd op zoek naar
een kick, iets opwindends, avontuur. Ze was niet bang om
iets te missen. De gedachte dat ze op haar zeventiende of
achttiende misschien nog wel maagd zou zijn, bezorgde haar
geen slapeloze nachten.

Ze was op het enige popconcert waar ze ooit was geweest
niet hysterisch geworden toen de zanger met zijn gitaar de
geslachtsdaad nabootste, terwijl Julie, die haar meegenomen
had naar het concert, hysterisch krijsend haar armen in
de lucht gestoken had. Anna had ook nog nooit stiekem
bij een jongen een liefdesbrief in zijn jaszak gestopt.

Ze had trouwens nog nooit tranen met tuiten gehuild, hart-kloppingen of slapeloze nachten gehad om een knul.

Ze vond zichzelf, waar het ging om seks of uitgaan, een laatbloeier. Ze was er niet trots op, maar vond het wel prima. Knuffelfeesten en party's waar wild gedaan werd en waar iedereen als in trance danste, vond Anna nogal eng. Het leek allemaal zo hysterisch! Zo geforceerd! Zo wilde ze niet zijn. Ze was best wel dol op dansen, maar ze hield haar bewegingen daarbij graag onder controle.

Als ze een stelletje zag zoenen, vond ze dat ongelooflijk gênant om naar te kijken en het zag er zo klungelig uit! Nooit zo romantisch als in een film. Ze had medelijden met het meisje als ze zag hoe een knul probeerde zijn tong tussen haar tanden te duwen; ze proefde bijna de kleverige kussen en voelde haast zijn zweterige handen op haar eigen lichaam. Ze schaamde zich er in stilte voor dat zo'n meisje het gulzige gefrunnik van de jongen giechelend verdroeg als prijs voor het feit dat ze een stelletje waren. Of omdat ze zo tipsy was dat ze niet eens meer merkte wat die knul met haar uithaalde.

Anna had tot nu toe nog nooit een jongen toegestaan om zijn tong in haar mond te steken of om onder haar trui te voelen. Ze vond dat gefriemel tussen jongens en meisjes een beetje slijmerig en het leek haar weerzinwekkend. Al het geklets over liefdesverdriet van haar klasgenoten werkte haar dan ook op de zenuwen.

Was er nu echt niets belangrijkers om over te praten? Was er niets anders waarover je je druk kon maken? De wereld was vol wonderen en verrassingen, maar de meeste van haar leeftijdsgenoten merkten dat niet. De puberteit had hen stevig in de greep en maakte van hen (dat vond Anna toch) sukkelige, dampende en zwetende deelnemers aan een freakshow.

Het was voor elke party, elke vrijdagavond hetzelfde liedje: alle meisjes waren door het dolle heen. Als een menigte opgewonden kippen wisselden ze nieuwtjes uit over schoonheidstips, over puistjesproblemen, haarstyling of smokey eyes. En als het feest voorbij was, ging het gesmoes en gegiechel, het gemompel en het gefluister naadloos door op het schoolplein. Over wie hoeveel cocktails naar binnen had gegoten en welke alcopops het best werkten.

Dat alles irriteerde Anna behoorlijk. Ze ergerde zich ook blauw wanneer Vera, die naast haar zat, voor een party in tranen uitbarstte bij elk nieuw puistje of wanneer Noa op de dag na de party elke tien seconden tersluiks haar sms-berichten checkte. Welke knul wilde een date met haar? Wie wilde haar versieren? En: wie kon zich eigenlijk iets herinneren van de vorige avond?

En altijd dezelfde vraag, die zo serieus en fanatiek werd besproken alsof het ging om de toekenning van de volgende Nobelprijs voor Geneeskunde: wat trek jij aan?

Alsof je je hoofd niet kon breken over iets belangrijkers dan de vraag of een push-up je borsten mooier maakt. Of dat een neckholder je borsten nu groter of kleiner doet lijken. Of een heupbroek dik maakt. Of je wel een minirok kunt dragen bij westernboots. Of wollen sokken bij een zomerjurk.

Anna interesseerde zich niet voor kleren. Misschien omdat haar moeder voor haar kleren een extra kamer met de afmetingen van een gymzaal nodig had. Oké, haar moeder was actrice. En een actrice is wat ze uitbeeldt. Kleren zijn dan zoiets als een tweede huid of een derde huid of de rokken van een ui. Iets waar je je uit kunt pellen, al naargelang wat in een film nodig is of wat het publiek interesseert. Een actrice moet gewoon weten wat in is en wat out. Anna wist dat natuurlijk ook (ze woonde tenslotte niet op de maan), maar ze had zich een geen-zin-in-kleren-houding aangemeten. Alleen om zichzelf te bewijzen dat ze niet gewoon een afgietsel van haar beroemde moeder was. Dat ze anders was. Het was Anna op een zeker moment duidelijk geworden dat ze ook in nieuwe kleren nog altijd hetzelfde gezicht had, met dezelfde grijsblauwe ogen, de dichte wenkbrauwen, het iets wippende neusje en het kuiltje in haar wangen dat ze als baby al had gehad. Andere kleren zouden daar niet veel aan veranderen. Dat had ze toen besloten en daar wilde ze aan vasthouden. Een beetje consequent zijn in het leven kon geen kwaad, vond ze.

Haar moeder begreep dat niet. Als ze eens een hele middag tijd voor haar dochter had (wat zelden het geval was), stelde ze altijd weer voor om te gaan winkelen.

'Deze twee mooie meiden', zei ze dan vrolijk, 'gaan eens lekker shoppen tot de creditcard er rood van ziet.'

Anna wist dat andere meisjes hun moeder om de hals gevlogen zouden zijn bij zo'n uitspraak, maar zij haalde alleen de schouders op en zei: 'Kunnen we niet gewoon thuisblijven? Dan maken we het hier toch gezellig?'

Miriam Charlotte Verboven glimlachte dan een beetje, zuchtte, noemde haar 'darling' en vond dat Anna veel meer van zichzelf kon maken als ze een beetje lol had in kleren en kapsels.

En begon een nieuwe poging. Ging naast Anna op de bank zitten, streek een haarlok van haar voorhoofd (ik weet wel, dacht Anna, dat je mijn haar ongelooflijk saai vindt zitten) en zei dan vleiend: 'Kom, je wilt vast wel iets hebben. Elk meisje van jouw leeftijd heeft wel iets wat ze graag wil hebben.' Meestal ontstond die situatie als Charlotte terugkwam van een langdurige opname op de set en een slecht geweten had omdat haar dochter zo lang alleen was geweest. Omdat ze niet voldoende tijd had om zich met Anna bezig te houden. Maar nieuwe kleren, vond Anna, maakten dat ook niet goed. Dat moest haar moeder toch eens begrijpen.

Ze waren vier maanden geleden naar Antwerpen verhuisd. Tot de verhuizing was Anna lid geweest van de scouts. Ze was daarmee naar Noorwegen geweest en had ergens op een eiland haar eerste joert gebouwd. Ze speelde vrij goed handbal en vrij slecht piano, ze zat op zwemtraining en kreeg bijles voor Latijn. Ze was niet bang voor spinnen en ook niet voor ander kruipend (on)gedierte. De motvlinders die om de bureaulamp op haar kamer fladderden, sloeg ze niet dood, maar lokte ze met de straal van een zaklantaarn naar buiten. Een spin in het bad spoelde ze niet door de afvoer, maar ving ze voorzichtig op een stuk papier waar ze dan een beker overheen zette en liet hem vervolgens in het dichtstbijzijnde park weer los. Ze vond het geen enkel probleem om 's avonds een fles appelsap uit de kelder te halen, ook al wist ze dat de plafondlamp een loszittend contact had en dat in de gang een muizenval stond. Ze sliep met open raam en zonder licht. Alleen in de periode na de dood van haar vader had Anna altijd een klein lampje naast haar bed laten branden voor het geval zijn ziel op bezoek wilde komen of dat zijn bescherm-engel zou komen om te zeggen dat ze zich niet zoveel zorgen hoefde te maken. Het lampje zou hun de weg wijzen.

Van sigarettenrook werd Anna misselijk. Ze knipte haar vingernagels altijd heel kort, zodat ze niet weer in de verleiding zou komen om ze af te bijten. Als ze nerveus was, beet ze de laatste tijd niet meer op haar nagels, maar trok ze een haarlok voor haar ogen om te zien of er misschien dode puntjes in zaten. Als ze een haar ontdekte waarvan het uiteinde gespleten was, trok ze dat zonder meer uit.

Ze kon, sinds ze een keer tijdens de zomervakantie bij haar tante Els in Limburg had gelogeerd, heerlijke jam maken (het was de zomer toen ze bij haar vader kanker hadden ontdekt en haar ouders haar hadden weggestuurd om eerst zelf te wennen aan de gedachte dat ze niet samen oud zouden worden). Haar frambozenmarmelade en haar bramengelei waren niet te evenaren. Ze vond het heerlijk om kookboeken met exotische gerechten te lezen en probeerde zich daarbij voor te stellen hoe het smaakte. Ze interesseerde zich voor uitstervende dieren en planten en had op haar computer diverse mappen aangemaakt, waarin ze eens per week de nieuwste stand noteerde. Ze vond het belangrijk te weten welke pogingen er waren gedaan om bedreigde dieren te redden.

Anna was vijftien jaar. Over twee maanden zou ze zestien worden en ze had het idee van een feest heel beslist van de hand gewezen, ook al deed haar moeder er alles aan om haar over te halen.

Anna stelde zich haar verjaardag heel anders voor: ze zou twee of drie vriendinnen uitnodigen, misschien Marjolein en Julie, lekker uiteten gaan, het liefst bij de Japanner waar je aan een lage bar zat waar dan bordjes met rauwe tonijn, met zalm-nigri en avocadosushi op een lopende band voorbijkwamen. Kleine kopjes soep en spiesen met tempuragarnalen. Dat werd gegeten met lepeltjes van beschilderd porselein en roodgelakte stokjes, waarna het heerlijke eten werd weggespoeld met enorme hoeveelheden geurende jasmijnthee. Dat was voor Anna geluk.